D1217103

Oei, ik groei !

Hetty van de Rijt en Frans X. Plooij

Oei, ik groei!

De acht sprongen in de mentale ontwikkeling van je baby

Kosmos–Z&K Uitgevers, Utrecht/Antwerpen

Omslagontwerp: Wim de Haas
Illustraties: Jan Jutte

Aan onze dochter Xaviera Femke, van wie we veel geleerd hebben.

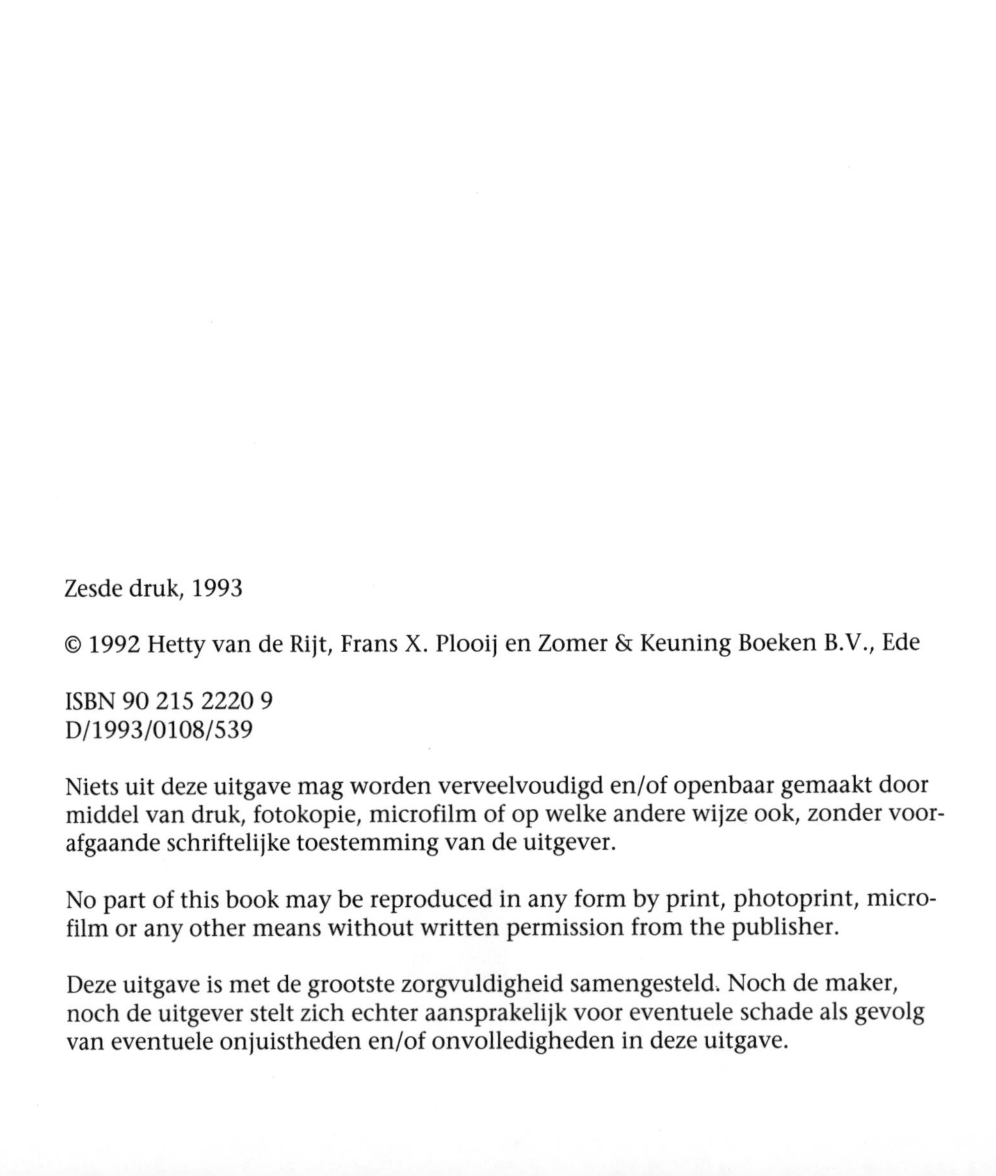

Zesde druk, 1993

ISBN 90 215 2220 9
D/1993/0108/539

Inhoud

Woord vooraf

Een huilende baby is vreselijk voor degene die zo'n hummel gezond en gelukkig wil zien. Het blijkt dat menig moeder[1] zich regelmatig zorgen maakt over haar baby. Vaak denkt ze dat zij de enige is die niet de hele dag blij rondloopt. De enige die onzeker, angstig, wanhopig of boos is, als de baby lastig en niet te troosten is. De enige die eruitziet als een vaatdoek, uitgeput door slaapgebrek. Zorgen, vermoeidheid, ergernis, schuldgevoel en soms ook agressieve gevoelens wisselen elkaar af. Ook kan 'huilen' spanningen tussen de ouders oproepen. Vooral als deze het niet eens zijn over de aanpak van dat huilen. En gratis, goedbedoelde adviezen van vrienden, familie, buren en zelfs vreemden maken alles alleen maar erger. 'Laat maar huilen, dat is goed voor de longen' is niet bepaald een oplossing waar moeder op wacht. En het probleem kleineren net zo min.
Moeders vinden verbazend weinig steun bij andere moeders. Als een moeder plotseling met een lastiger kind zit, wil ze daarover kunnen praten. Ze zoekt lotgenoten, die hetzelfde meemaken of meegemaakt hebben. Dit lijkt eenvoudig. De wereld zit vol met moeders. Toch is het moeilijker dan het lijkt. Hoe komt dat nou? Heel eenvoudig. Als een moeilijke periode voorbij is, vergeten moeders onmiddellijk hoe vreselijk lastig ze hun baby hebben gevonden en hoe wanhopig ze vaak zelf waren. En dat is misschien maar goed ook. Maar voor de moeder die midden in de problemen zit en vraagt: 'Heeft jouw kind dat nu ook?', is het vreselijk. Zij zal wel drie keer nadenken voor ze de vuile was nog eens buiten hangt en trekt zich terug met de gedachte dat zij de enige is met een lastig kind.
Dat is niet zo.
We hebben twintig jaar onderzoek gedaan naar de ontwikkeling van baby's en de reactie hierop van degene die voor de baby zorgt. Meestal was dat de moeder. Al ons onderzoek hebben we bij ouders thuis gedaan. We hebben hun alledaagse bezigheden geobserveerd. We hebben allerlei vragen gesteld en zijn daar in gesprekken dieper op ingegaan.
We ontdekten dat *iedereen* van tijd tot tijd met dat huilen zit. Sterker nog: normale, gezonde baby's waren verrassend op dezelfde leeftijden huileriger, lastiger, veeleisender en hangeriger. Kortom, leeftijden waarop zij hun moeder wanhopig konden maken. We kunnen tot op bijna de week nauwkeurig voorspellen wanneer moeder weer zo'n moeilijke tijd te wachten staat.
Baby's huilen niet voor niets. Ze zijn dan van slag. Hun ontwikkeling verandert plotseling drastisch. Dit heeft echter ook voordelen. Het opent namelijk de mogelijkheid om nieuwe dingen te leren.
In dit boek worden inzichten in dit nieuwe leren geïllustreerd met de ervaringen en belevingen van moeders. Een soort 'moeders voor moeders' dus. Wij hebben moeders van 15 gezonde baby's, 8 meisjes en 7 jongens, gevraagd niet alleen de vorderingen van hun baby bij te houden, maar ook te vertellen of alles wel of niet op rolletjes liep. De voorbeelden in dit boek zijn gebaseerd op de wekelijkse verhalen van deze moeders.

---

[1] Het woord 'moeder' is in dit hele boek gebruikt om het leesbaar te houden. Eigenlijk had daar steeds moeten staan: moeder/vader/hoofdverzorg(st)er.

Dit boek biedt:

- *Steun in bange dagen*
  Het steunt je op het moment dat je kampt met een huilprobleem. Het is immers goed te weten dat je niet de enige bent. En dat een hangerige periode nooit langer duurt dan een aantal weken, en soms maar een paar dagen. Dit boek onthult wat andere moeders voelen, zien en doen als ze een baby hebben die even oud is als jouw baby. Je zult zien dat alle moeders vechten met gevoelens van bezorgdheid, ergernis en blijheid en alles wat erbij hoort.
- *Zelfvertrouwen*
  Je zult begrijpen dat gevoelens van bezorgdheid, ergernis en blijheid noodzakelijk zijn. Dat ze de motor achter de vooruitgang van je baby zijn. Je zult er van overtuigd raken dat je als moeder beter dan wie ook aanvoelt wat je baby op een bepaald tijdstip nodig heeft. Een ander kan je dat niet vertellen. *Jij* bent deskundig. Je mag je met recht de expert van je eigen baby voelen. Jij kent jouw baby het beste. Jij voelt beter aan dan wie ook wat jouw baby nodig heeft.
- *Begrip voor je baby*
  Het vertelt je wat je baby in iedere hangerige periode doormaakt. Het legt uit dat hij[2] lastig wordt als hij op het punt staat nieuwe dingen te leren. Hij is dan van slag. Als je dat begrijpt, maak je je minder zorgen. Je ergert je minder. En je hebt meer 'rust' om hem door zo'n huilperiode te loodsen.
- *Suggesties hoe je baby te helpen bij het leren*
  Na iedere hangerige periode kan je baby nieuwe dingen leren. En hij doet dat prettiger, sneller en makkelijker met jouw hulp. Wij suggereren spelletjes, jij kiest datgene eruit dat het beste inspeelt op de interesses van jouw baby.
- *Een uniek verslag van de ontwikkeling van je baby*
  Het boek groeit met je baby mee. Je kunt in dit boek je baby's hangerige perioden en vooruitgang volgen en aanvullen met je eigen aantekeningen, zodat het over de eerste zestig weken omgetoverd wordt in je baby's eigen, unieke groeiboek.

[2] Omwille van de leesbaarheid wordt de baby met 'hij' aangeduid, terwijl daar iedere keer zij/hij zou moeten staan.

Groter worden: Hoe doet je baby dat?

Een stapje achteruit en een sprong vooruit

'Kinderen groeien van de ene dag op de andere uit hun kleren.' Deze volkswijsheid is lange tijd afgedaan als onzin. Toch zit er een kern van waarheid in. Kinderen groeien met schokken. Langere tijd gebeurt er weinig tot niets. Dan ineens groeien ze vele millimeters in één nacht.
Ook de verstandelijke ontwikkeling van kinderen verloopt met sprongen. Onderzoek aan kinderen van anderhalf tot zestien jaar heeft aangetoond dat zulke sprongen gepaard gaan met veranderingen in de hersenen. Dit blijkt onder andere uit veranderingen in de hersengolven, die men kan vastleggen in een E.E.G. Ook bij baby's onder de anderhalf jaar heeft men tot nu toe drie leeftijden ontdekt, waarop hersenveranderingen plaatsvinden. Op alle drie deze leeftijden zie je dat de ontwikkeling van de baby ook een duidelijk sprongetje maakt. Maar er zijn meer sprongen in de verstandelijke ontwikkeling van baby's. Aan die sprongen is bij hersenonderzoek nog geen aandacht besteed.
Sprongen in de verstandelijke ontwikkeling gaan niet altijd samen met groeischokken. Die laatste zijn talrijker. Ook tanden komen door op andere tijden dan die waarop baby's een sprong in hun verstandelijke ontwikkeling maken.

Wat gebeurt er als de mentale ontwikkeling van je baby een sprongetje maakt?

Bij elke sprong ontwikkelt zich plotseling en heel snel iets nieuws in de baby. Bijna altijd gebeurt dat in zijn zenuwstelsel en levert het de baby een nieuw vermogen op. Zoals het vermogen 'patronen' waar te nemen. Rond 8 weken breekt dat door. Zo'n nieuw vermogen beïnvloedt zijn hele gedrag. Het doorstraalt en verbetert alles wat hij tot nu toe al deed en het opent de mogelijkheid om nieuwe dingen te leren. Dat komt bijvoorbeeld tot uiting in een plotselinge aandacht voor zichtbare patronen, zoals de blikjes op de planken in de supermarkt of de takken van kale bomen die tegen de hemel afsteken in de winter. Een heel ander voorbeeld is, dat je baby vanaf die leeftijd zijn lichaamshouding onder controle krijgt. Dat is ook een soort patroon, maar dan waargenomen binnenin zijn eigen lichaam, in plaats van daarbuiten. En zo zijn er meer voorbeelden.

Hoe zie je dat de ontwikkeling een sprongetje maakt?

Hangerige, huilerige perioden zijn het 'visitekaartje' van een sprong. Je baby is lastiger en moeilijker dan je gewend bent. Veel moeders maken zich zorgen. Ze vragen zich af of hun baby ziek kan zijn. Of ze ergeren zich, omdat ze niet begrijpen waarom hij zo vervelend is.

Op welke leeftijden beginnen die hangerige perioden?

Hangerige perioden worden door alle moeders rond dezelfde leeftijden gezien. Het zijn er acht in de eerste veertien maanden. In het begin duren ze korter en volgen ze elkaar sneller op.

Op onderstaande grafiek zie je het begin van de hangerige perioden en het begin van de makkelijke perioden.

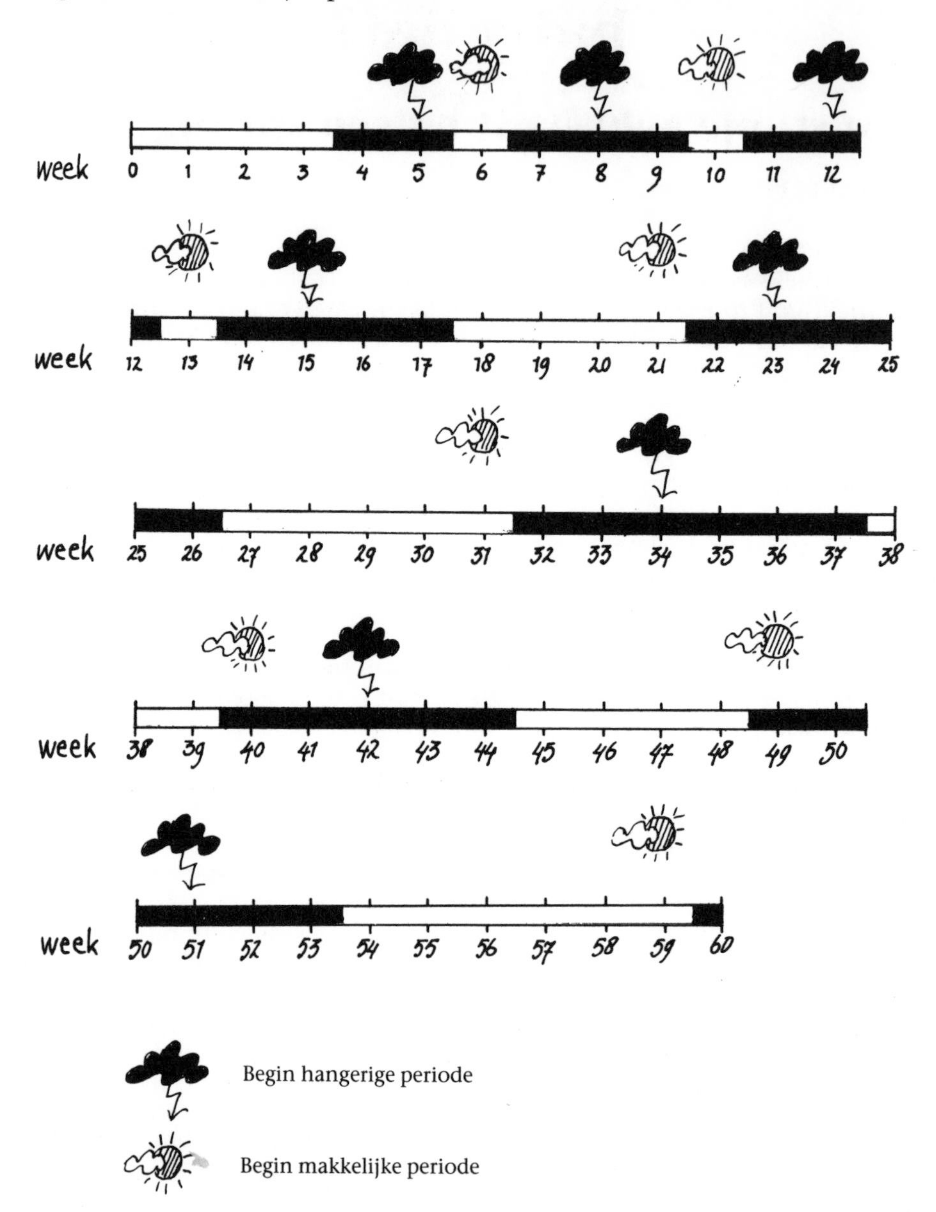

Bij de bliksemflitsen beginnen de meeste baby's met hun hangerige perioden. Maar jouw baby kan iets eerder of later daarmee beginnen. Hoeveel het begin kan verschillen is aangegeven door de horizontale zwarte balk.

Daar waar de zon achter de wolken vandaan komt, beginnen de meeste baby's met hun makkelijke perioden.

Is je baby twee weken te laat geboren, dan komt het twee weken eerder. Is hij vier weken te vroeg, dan komt het vier weken later. Ook dit verschijnsel wijst erop, dat ieder sprongetje sterk verbonden is met de groei van de hersens van de baby.

GEEN ENKELE BABY ONTSPRINGT DE DANS
Alle baby's gaan door deze hangerige perioden heen. Van de makkelijke, rustige baby, tot en met de moeilijke, temperamentvolle baby. Echter, de temperamentvolle baby heeft het er duidelijk moeilijker mee dan de rustige baby. En zijn moeder dus ook. Hij vraagt toch al meer aandacht, maar eist nog een extra portie als zo'n sprongetje zich aankondigt. Hij toont de grootste 'behoefte aan mama', de meeste leergierigheid, en hij heeft de hevigste conflicten met zijn moeder.

Het is niet leuk, dus voel met hem mee!

Je baby schrikt van zo'n sprongetje. Het zet zijn vertrouwde wereld op zijn kop. En eigenlijk heel begrijpelijk. Stel je zelf maar eens voor dat je wakker wordt op een andere planeet. Ineens is alles anders. Wat zou jij doen...?
Zou je rustig verder slapen? ... Nee.
Zou je zin hebben in eten? ... Nee.
Zou je je willen vastklampen aan een vertrouwd iemand? ... Ja.
Dat is nou precies wat je baby ook doet.

Je baby keert terug naar zijn veilige basis

Jou kent hij het beste. Met jou is hij het langst en intiemst vertrouwd. Zijn wereld staat op zijn kop en hij snapt niet wat er aan de hand is. Hij huilt en ligt het liefst de hele dag in je armen. Als hij ouder is, doet hij alles om bij jou in de buurt te kunnen blijven. Hij houdt je soms vast, om nooit meer los te laten. Hij wil weer als een kleinere baby worden behandeld. Kortom, hij zoekt naar het oude vertrouwde. Voor hem is deze plek veilig. Je zou kunnen zeggen: hij keert terug naar de basis, van waaruit hij zijn leven begon.

Je ontdekt dat hij meer kan

Omdat je baby plotseling zo hangerig is, ben je bezorgd of geïrriteerd door dat gezeur. Je wilt weten wat er aan de hand is. Automatisch ga je beter op je baby letten. Je wilt dat hij weer normaal doet. En dan ontdek je dat hij eigenlijk veel meer weet dan je dacht. Dat hij dingen probeert te doen, die je nog nooit bij hem hebt gezien. Je zou kunnen zeggen dat jij nu ontdekt dat je baby een sprongetje heeft gemaakt in zijn ontwikkeling.

Een nieuw vermogen: een nieuwe winkel

Ieder nieuw vermogen stelt je baby in staat nieuwe dingen te leren. Vaardigheden die hij vóór deze leeftijd nooit had kúnnen leren, hoe vaak je het ook zou hebben geoefend. Je zou ieder nieuw vermogen kunnen vergelijken met een nieuwe winkel die wordt geopend. In die winkel ligt een uitgebreide schakering van koopwaar. Sommige dingen zijn nieuw, andere bekend maar verbeterd. Jouw baby met zijn aanleg, zijn voorkeur en zijn temperament, maakt zijn eigen keuze. De ene probeert alles even uit. De andere is helemaal weg van één ding. Iedere baby is immers anders.

Help hem bij het leren
Jij bent in staat om hem datgene aan te reiken wat hij aan kan en wat bij zijn persoontje past. Jij kent hem het beste. Daarom kun jij, beter dan wie ook, uit hem halen wat erin zit. Niet alleen je baby maakt keuzes. Jij winkelt mee. Sommige stalletjes zullen je minder interesseren. Andere juist heel sterk. Want ook iedere moeder is anders. Tegelijkertijd kun jij als volwassene dingen aanbieden, die hij als baby over het hoofd ziet. En je kunt hem helpen om door te gaan, als hij het even niet meer ziet zitten. Met jouw hulp leert hij prettiger, beter en uitgebreider.

Conflicten met je baby
Als je baby iets nieuws leert, betekent dat vaak dat hij een oude gewoonte moet afleren. Als hij kan lopen, moet hij niet verwachten dat moeder hem nog even vaak draagt. Als hij eenmaal kan kruipen, kan hij zijn eigen speeltjes gaan halen. Na iedere sprong kan hij méér en zal hij ook zelfstandiger zijn. Als baby en moeder zich dit realiseren, hebben zij het daar eventjes moeilijk mee. Daarom zie je in deze periode ook vaker ergernissen en ruzies. De wensen van moeder en baby botsen dan.

De makkelijke periode: even rust na de sprong
De moeilijke periode verdwijnt even plotseling als die gekomen is. Voor de meeste moeders is dit een ontspannende tijd. De baby is zelfstandiger. Hij is druk bezig het nieuw geleerde in praktijk te brengen. En hij is vrolijker. Helaas is die rust van korte duur. Het volgende sprongetje kondigt zich weer snel aan. Je baby is een harde werker.

'KWALITEITSUURTJES' ZIJN ONNATUURLIJK
Als een baby zelf mag bepalen wanneer hij welke aandacht wil, merk je dat dit van week tot week anders kan zijn. Bij ieder sprongetje gaat de baby immers door de volgende fases:
- een behoefte om te hangen aan mama;
- een behoefte om nieuwe dingen te leren met mama;
- een behoefte om zelfstandig te zijn.

Daarom zijn 'geplande speeluurtjes' onnatuurlijk. In het jachtige Amerika heeft men het zogenaamde 'kwaliteitsuurtje' uitgevonden. Dit zijn uurtjes die in de agenda van een druk bezet persoon worden vrijgehouden om aandacht te geven aan hun kind(eren). Het is echter onmogelijk om plezier met een baby te plannen. Het kan zelfs zijn dat hij je aandacht niet *wil* op de tijd die wordt geprikt als het 'kwaliteitsuurtje'. De fijne, lieve, grappige en angstige momenten met baby's gebeuren als ze gebeuren. Een baby is géén video die je in kunt schakelen op geschikte tijden. Een baby is nog geen volwassene.

Als de baby is uitgegroeid tot een mensje-in-de-dop, willen veel moeders zich nog alle gebeurtenissen en gevoelens herinneren van die belangrijke eerste jaren. Zij willen deze met hun kind delen. Sommige moeders houden een dagboek bij. Dat is leuk als herinnering. Maar de meeste moeders houden niet van schrijven of ze komen helemaal in de knoop met de tijd. Ze denken: Ik onthoud het wel. En ze vinden het dan achteraf reuze jam-

mer dat de herinnering sneller vervaagt dan ze voor mogelijk hadden gehouden. *Oei, ik groei!* groeit met je baby mee. Op elke leeftijd kun je je ervaringen vergelijken met die van andere moeders.
Tegelijkertijd is dit boek meer dan een leesboek. In elk deel kun je ook je eigen verhaal vertellen over de ontwikkeling van je baby. Vaak zijn al een paar steekwoorden voldoende om de herinnering later weer springlevend te maken. Zo kun je dit boek makkelijk veranderen in een *uniek groeiboek* van de ontwikkeling van je eigen baby.

Hoe dit boek werkt en gebruikt kan worden

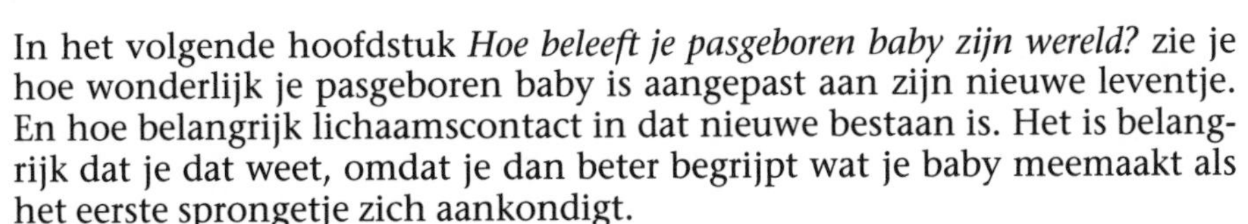

In het volgende hoofdstuk *Hoe beleeft je pasgeboren baby zijn wereld?* zie je hoe wonderlijk je pasgeboren baby is aangepast aan zijn nieuwe leventje. En hoe belangrijk lichaamscontact in dat nieuwe bestaan is. Het is belangrijk dat je dat weet, omdat je dan beter begrijpt wat je baby meemaakt als het eerste sprongetje zich aankondigt.
In de daaropvolgende hoofdstukken groeit dit boek met je baby mee, tot hij zestig weken oud is. In deze tijd zal hij acht sprongen meemaken en iedere sprong wordt behandeld in één apart hoofdstuk. Ieder hoofdstuk is steeds weer ingedeeld in vier delen:

De sprong kondigt zich aan: terug naar mama, aan het begin van ieder hoofdstuk, beschrijft de veranderingen die je kunt verwachten als je baby lastiger wordt. In het kader 'Baby van slag: Hoe toont hij dat?' kun je aangeven hoe je merkte dat jouw baby aan het volgende sprongetje begon.

In *De sprong* wordt verteld welk 'nieuw vermogen' je baby krijgt als hij dat sprongetje maakt. Bovendien vind je in de 'winkel' een zo uitgebreid mogelijke lijst van nieuwe gedragingen, die het gevolg kunnen zijn van de sprong. Uit deze lijst moet je baby een keuze maken. Hij kan immers niet alles tegelijk kiezen. Jouw baby kiest dan ook andere dingen uit de nieuwe winkel dan een andere baby. Iedere baby is uniek. Je kunt in de 'winkel' aantekenen wat jouw baby aan nieuwe gedragingen kiest. Waar zijn voorkeuren naar uitgaan. Wat het unieke is van jouw baby. Er is ook ruimte opengelaten om je ervaringen, gedachten en gevoelens op te schrijven.

In *De uitwerking van de sprong: Help je baby bij het leren* lees je hoe je je baby spelend en soms mopperend pienter maakt. Je doet dat, terwijl je inspeelt op datgene wat je baby uit de 'winkel' kiest. Of als je iets wilt uitproberen, omdat je denkt dat je baby het ook wel leuk zal vinden.

Tenslotte, in *De sprong is genomen,* zie je wanneer je baby weer makkelijker is, zelfstandiger en vrolijker.

Dit boek hoeft niet van voor naar achter uitgelezen te worden. Als je baby al wat ouder is, kun je hierna naar het hoofdstuk 'springen' dat op jouw baby slaat.

foto

IK HEET : ....

geboren op : ....

om : ....

plaats : ....

gewicht : ....

lengte : ....

bijzonderheden : ....

Hoe beleeft je pasgeboren baby zijn wereld?

Voordat je kunt begrijpen hoe je baby verandert als hij 5 weken is en zijn eerste sprongetje maakt, moet je weten hoe je pasgeboren baby zijn wereld beleeft en welke rol lichaamscontact speelt in deze belevingswereld.

Je baby kan al best veel waarnemen

Dit kan je baby al

Baby's zijn al meteen na de geboorte geïnteresseerd in de wereld om hen heen. De ene wat meer dan de andere. Ze luisteren en kijken. Ze laten de omgeving op zich inwerken. Ze doen echt hun best om iets zo goed mogelijk te zien. Je ziet dan ook geregeld dat hun ogen scheel staan van de inspanning. Of je ziet dat ze gaan bibberen of hikken van uitputting. Moeders zeggen: 'Hij "pakt" met zijn ogen.' En dat is nou precies wat ze doen.
Baby's hebben een goed geheugen. Al heel vlug herkennen ze stemmen, mensen en speeltjes. Ook hebben ze een duidelijke verwachting van een bepaalde situatie: 'Het is bad-, knuffel- of eettijd!' Of: 'Het is uitgaan geblazen!'
Baby's doen al gezichtsbewegingen na. Steek je tong maar eens tegen hem uit, als je ontspannen met hem zit te 'kletsen'. Of open wijd je mond zoals bij een uitroep. Geef hem wel de tijd om te reageren en doe het als hij je echt aankijkt.

Baby's kunnen hun moeder 'vertellen' hoe ze zich voelen: blij, boos, verbaasd. Hoe ze dat doen? Ze leggen een wat andere nadruk op een zelfde soort schreeuw- of huilgeluid. En ze gebruiken een lichaamstaal. Hun moeder verstaat het. Trouwens, de baby laat duidelijk weten dat hij dat ook van haar verwacht. Na even wachten gaat hij 'boos' of 'verdrietig' huilen.
Baby's hebben ook al heel vroeg voorkeuren. De meeste kijken liever naar mensen dan naar speelgoed. Ook kunnen ze één speeltje kiezen door dat met hun ogen te 'pakken', als zij er twee voorgeschoteld krijgen.
Baby's zijn heel gevoelig voor aanmoediging. Ze genieten als ze geprezen worden om hun lekkere geur, hun schoonheid of hun daden. Ze zijn dan duidelijk langer in je geïnteresseerd.

Zijn zintuigen werken al heel goed

Baby's zien, horen, ruiken, proeven en voelen al een heleboel. En wat zij daarmee waarnemen, kunnen zij ook onthouden. Maar toch kan een baby datgene wat zijn zintuigen hem vertellen, nog niet beleven zoals hij dat later als volwassene gaat doen.

WAT NEMEN BABY'S ZINTUIGEN WAAR?

Wat ziet je baby?

Tot voor kort dachten wetenschappers en artsen dat een pasgeboren baby nog niet kon zien. En je hoort het nóg wel eens. Dat is absoluut een fabeltje. Moeders spraken dat in het verleden dan ook altijd tegen. Het blijkt dus dat zij gelijk hadden. Je baby kan perfect scherp zien. Maar hij kan dat alleen op een afstand van 20 cm. Buiten die afstand ziet hij vermoedelijk alles wazig. Hij heeft ook soms moeite zijn beide ogen te richten op datgene wat hij wil zien. Maar als hij zover is, kan hij intens staren naar datgene waarnaar hij kijkt. En hij houdt dan even op met bewegen. Al zijn aandacht is op zijn voorwerp gericht. Als hij goed wakker is, kan hij soms ook het speeltje volgen met zijn ogen en/of zijn hoofd. En wel van links naar rechts en van boven naar beneden. Je moet het dan wél heel langzaam bewegen.

Het voorwerp dat hij het verst blijft volgen, is een schematisch namaakgezicht: twee grote stippen boven en één onder. Dat lukt al binnen een uur na de geboorte, als veel baby's hun ogen wijd open hebben en héél alert zijn. Als vader en moeder verdrink je bijna in die prachtige, grote ogen. Het zou weleens kunnen dat baby's 'ingeprent' raken op alles wat ook maar in de verste verte op een menselijk gezicht lijkt.

Je baby kijkt liever naar kleurige dingen, dan naar een saai, egaal vlak. En hij vindt rood de mooiste kleur. Maar zijn aandacht wordt vooral gevangen door felle contrasten. Hoe feller de kleuren tegen elkaar afsteken, hoe interessanter. Duidelijke strepen en hoeken ziet hij liever dan ronde vormen.

Wat hoort je baby?

Je pasgeboren baby kan al heel goed onderscheid maken tussen verschillende geluiden. Jouw stem herkent hij al vlak na de geboorte. Hij houdt van muziek, het snorren van een motor en van zacht, ritmisch drummen. Begrijpelijk, want dergelijke geluiden zijn vertrouwd. In de baarmoeder lag hij te midden van bonzende, ruisende, rommelende, donderende en piepende geluiden van aders, hart, longen, maag en darmen. Ook houdt hij van de meeste menselijke stemmen. Zij maken hem rustig.

Je baby hoort ook het verschil tussen lage en hoge (vrouwen)stemmen. Hoge geluiden vangen sneller zijn aandacht. Iedereen voelt dat aan en praat met een hogere stem tegen een baby. Voor dat 'gekiebiediebiedoe', ofwel babygepraat, hoef je je dus helemaal niet te schamen.

Je baby kan ook al meteen onderscheid maken tussen harde en

zachte geluiden. Plotselinge, harde geluiden vindt hij niet prettig. Sommige baby's kunnen snel schrikken. Pas je daarom aan je baby aan.

Wat ruikt hij graag?
Je baby kan geuren onderscheiden. Hij houdt niet van de geuren die wij branderig of scherp noemen. Deze geuren maken je baby heel actief. Hij probeert zichzelf weg te draaien van de stankbron, en zal ook gaan huilen.
Je baby ruikt het verschil tussen jouw lichaamsgeur en die van andere moeders. Als hij als proef op de som verschillende, gedragen kledingstukken voor zich krijgt, zal hij zich keren in de richting van het kledingstuk dat jij hebt aangehad.

Wat proeft hij graag?
Je baby kan al verschillende smaken uit elkaar houden. Hij heeft een duidelijke voorkeur voor zoet, houdt niet van zuur en spuugt bitter zo snel mogelijk uit.

Wat voelt hij?
Je baby kan een verandering in temperatuur waarnemen. Hij kan warmte voelen. En dat kan hij goed gebruiken bij het zoeken naar de tepel, als je die niet in zijn mond zou stoppen. De tepel is duidelijk warmer dan de borst. Door domweg in de richting van de warmste plek te bewegen, vindt je baby de tepel. Hij moet dan natuurlijk al wel in de buurt zijn met zijn gezicht.
Je baby kan ook kou voelen. Maar als hij het te koud krijgt, kan hij zichzelf nog niet verwarmen. Hij kan immers nog niet bibberen om het warmer te krijgen. Hij kan dus zijn lichaamstemperatuur nog niet zo goed regelen. Daar moet zijn moeder voor zorgen. Het is bijvoorbeeld niet verstandig lang te gaan wandelen met een baby in de sneeuw of op het ijs. Hoe goed hij ook ingepakt is, hij koelt te veel af. Voordat je het weet is hij onderkoeld. Als je baby gaat huilen in zo'n situatie, haast je dan naar binnen in de warmte.
Je baby is supergevoelig voor aanrakingen. Gewoonlijk vindt hij huidcontact heerlijk. Dat kan licht en stevig zijn. Net wat hij fijn vindt op dat moment. Ook zal hij meestal genieten van een uitgebreide lichaamsmassage in een lekker warme kamer. Alle vormen van lichaamscontact zijn voor hem gewoon het mooiste troost- en speelgoed. Probeer uit wat jouw baby het meest actief of slaperig maakt. Als je dat weet, kun je dat meteen gebruiken als je het nodig hebt.

Je baby beleeft zijn wereld als een 'soepje'

De boodschappen van alle zintuigen vormen één geheel

De baby kan de indrukken die de zintuigen naar zijn hersenen sturen nog niet verwerken zoals wij volwassenen dat doen. Hij beleeft zijn wereld op zijn eigen baby-manier. En dus anders dan wij. Wij ruiken een geur, zien de bloem die hem verspreidt, voelen aan zijn fluwelen blaadjes en horen

dat een bij eraan komt zoemen. Wij kunnen alle onderdelen los van elkaar begrijpen. We weten waar ze vandaan komen.
Je baby beleeft die hele voorstelling als één 'soepje', dat een totaal andere smaak krijgt als er ook maar één ingrediënt verandert. Als een radar vangt hij alle indrukken op en beleeft ze als één indruk, als één geheel. Hij ervaart nog niet dat er allemaal losse onderdelen in ieder 'soepje' zitten. En dat die onderdelen hem geleverd worden door zijn zintuigen. Erger nog, hij voelt zich een onderdeel van dat 'soepje'. Hij voelt zich nog niet als een 'eigen ik'.

Zelfs de wereld en zijn lijfje zijn één geheel
Hij kan nog geen onderscheid maken tussen datgene wat zijn zintuigen hem vertellen over zijn omgeving en wat ze hem vertellen over zijn lichaam. Voor hém zijn de buitenwereld en zijn lijfje één. Wat buiten gebeurt, gebeurt in zijn lijfje. En wat zijn lijfje voelt, voelt alles en iedereen. De wereld verveelt zich. De wereld is hongerig, warm, nat, moe of lekker. Alles is één geur-kleur-geluid-en-streel-indruk, één 'soepje', één geheel.
Omdat de baby zichzelf en de wereld als één-en-dezelfde ervaart, is het vaak zo moeilijk om uit te vinden wat een huilende baby heeft. Dat kan van alles zijn. Als je de baby niet goed begrijpt, kan dat huilen je wanhopig maken. Het kan je ook extra onzeker maken.

De hulpstukken waarmee je baby de 'oersoep' overleeft

Als je de wereld beleeft zoals de baby dat doet, kun je ook niet uit eigen vrije wil iets doen. Om dat te kunnen, moet je verder ontwikkeld zijn. Je moet weten dat je handen hebt om iets vast te pakken. Dat je moeder een tepel heeft en jij een mond die daaraan kan zuigen. Pas als je dat weet, kun je daar ook uit eigen beweging gebruik van maken.
Toch wil het niet zeggen dat de baby helemáál niet kan reageren op het 'soepje' dat hij waarneemt. Moeder natuur heeft hem een paar speciale eigenschappen meegegeven om deze leeftijdsfase te overbruggen en haar 'tekortkomingen' aan te vullen.

Zijn reflexen bepalen veel bewegingen
Hij draait in buikligging automatisch zijn hoofdje opzij, zodat hij goed kan ademen. Hij wordt dus bewogen door zijn reflex, zo ongeveer als een marionet door zijn touwtjes. Hij denkt niet: Even mijn hoofd draaien. Het gebeurt gewoon. En als de baby dit straks wel kan denken en doen, verdwijnt de reflex. Prachtig toch?
Een pasgeboren baby draait zijn hoofd in de richting van een geluid. Dit draaien zorgt ervoor dat de aandacht van de baby wordt gericht op mogelijk interessante plekken in de omgeving. Deze reactie werd lange tijd over het hoofd gezien. Dat komt omdat die traag op gang komt. Het duurt wel vijf tot zeven seconden, voordat de baby zijn hoofd begint te bewegen. En om de beweging te maken, heeft hij nog eens drie tot vier seconden nodig. Deze reactie verdwijnt als de baby een tot twee maanden oud is.
Hij heeft de zuigreflex. Zodra iets de mond van een hongerige baby aanraakt, klemt zijn mond eromheen en gaat zuigen. De zuigreflex zorgt er-

voor dat de baby geweldig krachtig kan trekken. Ook de zuigreflex verdwijnt als de baby hem niet meer nodig heeft. Een volwassene heeft hem niet meer. Dit betekent dat wij zouden verhongeren, als wij moesten overleven van moedermelk. Gewoon omdat we bijna geen druppel uit de borst zouden krijgen.
Hij heeft de *grijpreflex*. Als je wilt dat de baby je vinger grijpt, aai je over de boven- of onderkant van zijn hand. Hij trekt dan de hele arm licht terug, opent zijn knuistje en pakt de vinger. Hetzelfde kun je doen met het voetje. Zijn teentjes zullen dan proberen je vinger vast te pakken. Van deze reflex wordt gedacht dat hij uit de prehistorie stamt, toen moeders nog een flinke lichaamsbeharing hadden. Het baby'tje kon zich door de grijpreflex al meteen na de geboorte aan zijn moeder vastklampen. In de eerste twee levensmaanden kun je zien dat je baby deze reflex nog gebruikt. En wel als hij aanvoelt dat je hem neer wilt leggen.

De baby gebruikt de zogenaamde *Moro-reflex* als hij schrikt. Hij maakt zijn rug hol, gooit zijn hoofd achterover en wappert armen en benen eerst naar buiten, dan naar binnen en sluit ze over zijn buik en borst. Het lijkt alsof hij zich vastgrijpt bij een val. Deze reflex wordt ook wel eens de 'omhelzingsreactie' genoemd.
Je baby heeft nog veel meer typische baby-reflexen. Deze verdwijnen. Ze worden straks overgenomen door bewegingen, die de baby uit vrije wil maakt. Andere reflexen blijven, zoals ademhalen. Volwassenen hebben ook reflexen. Zoals niezen, hoesten, knipperen met je oogleden, je hand terugtrekken als je iets heets aanraakt en de 'kniepeesreflex', als een arts met een hamertje op je knie slaat.

OOK EEN BABY VERVEELT ZICH WEL EENS
Je baby kan zichzelf nog niet vermaken. Vooral een (temperamentvolle) drukke baby laat duidelijk weten dat hij actie wil als hij uitgeslapen is. Probeer uit wat je baby fijn vindt.

- Bezichtig met hem je huis. Laat hem datgene zien, horen en voelen waarvan je merkt dat het zijn aandacht trekt. Vertel hem wat hij tegenkomt. Het doet er niet toe wat. Hij geniet van je stem. Laat hem alles zien, horen, ruiken en voelen. Het zal niet lang duren of je merkt dat hij iets herkent.
- De baby luistert graag naar je stem als je praat. Maar als de radio op de achtergrond ook aanstaat, kan hij zich niet goed concentreren op je stem. Want deze gaat op in dat lawaai. De baby kan nog geen onderscheid maken tussen verschillende stemmen. En dan wordt hij onrustig.
- Zorg dat er altijd interessante dingen in het gezichtsveld van je baby zijn als hij wakker ligt. Op deze leeftijd kan hij er nog niet zelf naar zoeken. Voor hem geldt: uit het oog, uit de gedachte.
- De baby luistert graag naar muziek. Zet muziek aan die hij prettig vindt. Probeer zijn keuze uit. Zachte achtergrondmuziek kan ook kalmerend werken.

Laat je steeds rustig door de reacties van de baby leiden!

Hij vraagt hulp door te huilen

De hierboven genoemde reflexen zorgen ervoor dat je baby zélf de normale toestand herstelt. Soms is dat niet zo eenvoudig. Bijvoorbeeld als hij het te warm of te koud heeft, als hij zich niet lekker voelt, of als hij zich verveelt. Nu moet de baby als reactie een andere strategie volgen en dat doet hij ook. Hij gaat automatisch huilen tot *iemand anders* er voor zorgt dat alles weer in orde komt. Hij kan het nog niet stellen zonder hulp van een volwassene. Als deze die hulp weigert, zal hij eindeloos doorgaan met huilen, totdat hij volkomen uitgeput is.

> 'In de tweede week begonnen zijn huilbuien. Hij huilde dag en nacht, dronk goed en groeide goed. Toen ik bij de kinderarts was, heb ik gezegd dat ik dacht dat hij zich verveelde. Maar hij beweerde dat dat niet kon, omdat de oogjes nog dicht zijn in de eerste tien dagen. En hij daarna voorlopig ook niets zag. Sinds vorige week heb ik toch maar een rammelaar in de wieg gelegd. Dat helpt. Hij huilt echt minder!' (Paul, week 4)

Om te kunnen overleven moet de baby er dus van op aan kunnen dat iemand dag en nacht bereid is om hem op zijn wenken te bedienen. En ook dáár heeft de natuur voor gezorgd. Zij heeft hem getooid met een geheim wapen dat hij voortdurend in de strijd gooit: zijn uiterlijk.

Hij beschikt over een schattig uiterlijk

Hij heeft een puppy-achtig uiterlijk. Hij is de trotse bezitter van een uitzonderlijk groot hoofd. Dit hoofd is bijna een derde van zijn totale lengte. Als extraatje zijn zijn ogen en voorhoofd ook 'te groot' en zijn wangen 'te mollig'. Verder zijn zijn benen en armen 'te kort en te dik' in verhouding tot de rest van zijn lijfje. Zo'n koddig uiterlijk vertedert. De ontwerpers van poppen, knuffels en tekenstrips maken van die kenmerken dan ook dankbaar gebruik. Het verkoopt! Precies zo verkoopt je baby zichzelf. Hij is lief, klein en hulpeloos. Zo'n schatje trekt je aandacht. Het lokt je uit om hem op te pakken, te knuffelen en te verzorgen.

Zijn allervroegste glimlach: om van te genieten

Over de hele wereld wordt glimlachen al gezien vóór 6 weken en het is zelfs al vóór de geboorte gefilmd. Toch is het heel zeldzaam in deze periode. Maar dat neemt niet weg dat jij als moeder tot de gelukkigen kunt behoren. Pasgeboren baby's kunnen glimlachen als ze worden aangeraakt, als er een windvlaag langs het gezicht strijkt, als ze mensenstemmen horen of ander geluid, als ze een gezicht boven hun wieg zien, een schilderij zien, of domweg als ze tevreden zijn met een volle maag. Ze glimlachen ook wel eens in hun slaap.

Moeders zijn heel enthousiast als ze het zien. Ze noemen het echt glimlachen. En zo ziet het er ook uit. Later, als de baby zijn glimlach alleen maar gebruikt in sociaal contact, zeggen ze toch wel verschil te zien. Dit eerste glimlachen zou iets mechanisch hebben, iets robotachtigs. Maar dat neemt niet weg dat het is om van te smullen.

Lichaamscontact: een vertrouwd gevoel voor je baby

Ook voor zijn geboorte beleefde je baby zijn wereld als één geheel, als één 'soepje'. Bij de geboorte heeft je baby zijn vertrouwde plek verlaten en beleeft allerlei onbekende, totaal andere 'soepjes'. Er zitten immers allerlei nieuwe ingrediënten in. Dingen die hij in de buik niet kon beleven. Hij kan zich ineens vrij bewegen. Hij voelt warmte en kou. Hij hoort andere en hardere geluiden. Hij ziet feller licht en voelt allerlei kleren om zijn lichaam. Bovendien moet hij nu zelf ademhalen, zelf zuigen. Ook moeten zijn spijsverteringsorganen nog helemaal op gang komen. Allemaal dingen die nieuw voor hem zijn. Je kunt je voorstellen dat hij bij al deze veranderingen behoefte heeft aan het bekende en vertrouwde. Aan lichaamscontact.

Zeg het met knuffels!

Lichaamscontact zal hem het best herinneren aan zijn oude omgeving. Het zal hem een gevoel van geborgenheid geven. Je buik 'omarmde' zijn lichaam en je bewegingen kneedden het immers, zolang hij zich kan herinneren. Het was zijn 'thuis'. Hij was één met alles wat zich daarbinnen afspeelde: het ritmisch bonzen van je hart, het ruisen van je bloed en het gerommel van je maag. Het lijkt niet meer dan logisch dat hij dat oude, vertrouwde lichaamscontact graag voelt en die bekende geluiden nog eens hoort. En vanuit dat vertrouwde gevoel profiteert van de nieuwe omgeving.

LICHAAMSCONTACT: GEWOON HET MOOISTE TROOST- EN SPEELGOED

Naast eten en warmte is lekker dicht bij moeder zijn het allerbelangrijkst voor je kleintje in de eerste vier maanden. Als hij dat maar genoeg krijgt, kan er met de baby niet veel meer fout gaan. Ook als er – om welke reden dan ook – minder met hem wordt gespeeld.

- Een baby vindt het meestal heerlijk om lekker dicht tegen je aan te liggen en rondgedragen te worden. En hij leert meteen op een prettige manier zijn vele lichaamshoudingen beheersen. Wil je echter je handen vrij hebben, neem hem dan mee in een draagdoek. Zo'n doek kan al vlak na de geboorte gebruikt worden. In een draagdoek kan een baby namelijk liggen.
- Geef hem een ontspannende massage. Zorg voor een warme kamer. Doe wat babyolie op je handen en masseer zachtjes alle delen van zijn blote lijfje. Hij leert op een prettige manier zijn lijfje kennen en wordt er heerlijk rozig van.
- Baby's van deze leeftijd zijn gemaakt om gepakt, geknuffeld, geaaid en gewiegd te worden. Hij kan daar niet genoeg van krijgen. Hij vindt ook kleine klopjes voortreffelijk. Hij laat vanzelf wel merken wat hij het heerlijkst vindt en hoe hij het beste tot rust komt. Hij leert dat hij een prettige, veilige thuisbasis heeft. En die zal hij nog vaak nodig hebben als zijn ontwikkeling een sprongetje maakt.

HOE MAAK JE EEN DRAAGDOEK?
Neem een stevige lap van 0,90 × 2,10 meter. Hang de doek over je linkerschouder en knoop de uiteinden ter hoogte van je rechterheup aan elkaar of omgekeerd. Draai de knoop naar achteren. Probeer even of je de lengte van de draagdoek prettig vindt. Hij is nu klaar voor gebruik.

WAAR JE AAN MOET DENKEN
Knuffel, wieg, aai en masseer de baby als hij in een goede stemming is. Als je dat doet, merk je wat hij het fijnst vindt. Waar hij het best bij ontspant. En datgene wat hij het fijnst vindt, kun je straks gebruiken om hem te troosten als hij van slag is. Je hebt dan de meeste kans op succes. Knuffel, wieg, aai of masseer je hem alleen als hij humeurig is, dan zal hij juist vaker en harder gaan huilen, als je later probeert om hem hiermee te troosten.

Wat doe je als je de baby voor het eerst ziet?

Iedere baby ziet er anders uit en voelt ook anders aan. Til straks maar eens een andere baby op. Je merkt dat het even heel vreemd aanvoelt. Je bent met je eigen baby zo vertrouwd geworden, dat je eigenlijk vergeet dat de ene baby de andere niet is. Je moet even wennen.
Als een moeder alle rust krijgt om in haar eigen tempo haar naakte, pasgeboren baby te leren kennen, doet ze dat meestal in een bepaalde volgorde. Eerst strijkt ze met haar vingertoppen door de haren. Ze vindt ze zacht. Dan volgt ze met een vinger de omtrek van zijn hoofd. Daarna zijn profiel. Vervolgens de nagels, de vingers, de tenen. Dan gaat ze langzaam naar het midden, langs de armen, de benen en de nek. Als laatste het lijfje.
Ook de *manier waarop* een moeder elk lichaamsonderdeel van de baby betast, heeft een volgorde. Eerst raakt ze die aan met haar vingertoppen, en aait en voelt heel voorzichtig. Geleidelijk aan wordt ze steeds enthousiaster. Ze gebruikt de hele vinger en kan ook wel eens op het vel duwen. Tenslotte omvat ze elk onderdeel met de volle palm van haar hand. Als ze als laatste het lijfje durft te omklemmen, wordt ze enthousiast. Ze roept uit dat ze niet kan geloven dat zoiets prachtigs van haar is. Haar eerste kennismaking is hiermee afgerond. Nu durft ze hem op te pakken, te draaien en neer te leggen. Ze weet hoe haar baby aanvoelt.

LEUK OM TE WETEN
- De meeste moeders zijn supergevoelig voor hun baby, als ze hem in de eerste uren na de geboorte bij zich hebben.
- De meeste baby's zijn ook intens wakker in diezelfde tijd, ze zijn zich bewust van hun omgeving, ze keren zich naar zachte geluiden, en ze fixeren hun ogen op het gezicht dat boven hen hangt.
- De meeste moeders bewonderen het liefst samen met vader de baby.

Baas in eigen kraamtijd

Maak van je hart geen moordkuil. Als je je baby bij je wilt hebben, of als je even alleen wilt zijn met hem, laat dat dan weten. *Jij* bepaalt hoe vaak je hem oppakt om te knuffelen. Het is jouw kind.
Bijna alle moeders zeggen achteraf dat ze hun baby eigenlijk liever langer voor zich alleen gehad zouden willen hebben. Later kan dat velen van hen danig dwarszitten. De kraamtijd was niet wat ze zich ervan hadden voorgesteld. Terwijl ze behoorden te genieten van de rust die ze kregen, voelden ze zich opgejaagd. Ze wilden de baby bij zich hebben. Vooral als ze hem hoorden huilen. En als ze hem dan niet kregen, omdat het 'nog geen tijd' was, voelden ze zich triest en nijdig. Ze voelden zich behandeld als een onmondig, hulpbehoevend kind dat zelf niet wist wat het beste voor zichzelf en de eigen baby was. Ook vaders maken wel eens dezelfde opmerking. Ook zij voelen zich vaak overrompeld door regels en geregel van buitenstaanders.

> 'Alles werd voor mij geregeld. Hoe ik moest zitten bij het voeden. Wanneer ik mocht voeden. Wanneer hij genoeg tijd had gehad om te drinken. Dat hij moest huilen als het "zijn tijd" nog niet was... Ik ergerde me voortdurend, maar je wilt niet onbeleefd zijn, dus pakte of voedde ik hem stiekem. Ik kon niet tegen dat huilen, ik wilde hem troosten. Toen ik ook nog eens beha-in en beha-uit moest en ijszakom en ijszak-af kreeg, omdat mijn borsten overdag in vorm toe- en afnamen, hield ik het niet meer uit. Ik had een baby en ik wilde hém. Ik begon te janken van nijd. Maar hier was ook een naam voor: "kraamvrouwentranen". Het was net of alle poten onder mijn stoel vandaan gezaagd werden. Het enige wat ik wilde was mijn baby en rust.' (Paul)

> 'In het ziekenhuis kreeg ik mijn baby alleen overdag. Op de voedingstijden. Niets was zoals ik het me had voorgesteld. Ik wilde borstvoeding geven, maar soms gaven ze stiekem een flesje. Voor het gemak. 's Nachts gaven ze altijd de fles. Ik wilde haar vaker bij me hebben, maar dat mocht niet. Ik voelde me hulpeloos en kwaad. Toen ik na tien dagen naar huis mocht, dacht ik: Hou haar nou ook maar. Het was net of zij een vreemde was, alsof zij niet van mij was.' (Juliette)

> 'Ik had een lange bevalling. Mijn baby werd onmiddellijk meegenomen en wij waren uren in de veronderstelling dat we een zoon hadden. Toen ik mijn baby later terugkreeg, bleek dat we een meisje hadden. Niet dat we geen meisje "wilden", maar we waren al stevig vertrouwd met een zoon. Als je dan ineens een meisje blijkt te hebben, geeft dat een heel vreemd gevoel.' (Jetteke)

> 'Als ik haar voed, kroel ik graag om haar heen. Zodat ik lekker dicht bij haar ben. Maar van de kraamverpleegster mocht dat niet. Ik moest achterover zitten met kussens, dus achteruitgeschoven in de bank. Ik vond dat tegennatuurlijk. Zo afstandelijk.' (Nina)

> 'Ik voelde me bezitterig worden wanneer zij van hand tot hand ging, maar ik heb het niet laten merken.' (Laura)

> 'De kraamverpleegster was poetserig, regelig, bleef bij het bezoek en had het hoogste woord over alles wat ergens wel eens fout was gegaan. Ook

maakte ze zich erg druk over de mogelijkheid dat mijn baby wel eens geel zou kunnen worden. Ze keek ieder uur, soms ieder kwartier, en dacht hardop steeds dat ze al sporen ontdekte. Dit maakte me zenuwachtig. Ik probeerde borstvoeding te geven. Maar ze kwam onder de voedingen door steeds de baby weghalen om te wegen. Dit maakte me ook zenuwachtig. De baby beviel dat ook niet. Ze bewoog dan wild op de schaal, dus duurde het even voor ze kon besluiten of het 40 of 45 gram was. Het huilen van de baby maakte me nog nerveuzer en ik besloot maar om resoluut te stoppen met borstvoeding. Ik vind dat nu heel erg en ik denk dat het onnodig was. Ik had zo graag zelf gevoed.' (Xara)

'Ik voelde me heel bezitterig over hem, ergerde me als anderen hem te vaak, te lang wilden vasthouden. En ik genoot er, in bepaalde mate, als het ware van als hij bij anderen huilde en dan bij mij ophield.' (Rudolf)

'Als hij dan huilde, ergerde ik me over het "advies" van het kraambezoek dat een strenge opvoeding van "laat maar huilen" aanprees. Terwijl dat het laatste was wat ik wilde. Dus als hij huilde, stond ik tussen twee vuren in.' (Thijs)

'Deze keer hadden we ons voorgenomen om alles lekker helemaal op onze eigen manier te doen. Toen de baby huilde, gaf ik gewoon een extra flesje. De vorige keer heeft de oudste bijna twee weken voor niets gehuild en honger gehad. Dat bleek achteraf. Zo'n eerste keer luister je naar iedereen. Deze keer luisterde ik alleen naar mezelf.' (Eefje)

Als moeders moeilijkheden hebben met de baby vlak na de kraamtijd, zeggen ze dat ze nog niet helemaal vertrouwd zijn met de baby. Ze moeten nog aan hem wennen. Ze zijn bang dat ze hem per ongeluk laten vallen of te hard zouden vastpakken. Ze snappen niet wat hij wil als hij zich zus of zo gedraagt. Ze voelen zich een moeder van niks.
Sommigen denken dat het komt omdat ze de baby in de kraamtijd zo 'weinig' te zien kregen. Toen hadden ze hem zo graag gehad, nu zijn ze blij als ze klaar zijn met hem. Ze zijn bang geworden. En dat bange gevoel kenden ze in het begin niet.

Leer je baby kennen en aanvoelen

Als moeder ben je heel nieuwsgierig. Je bent in zekere zin al bekend met je baby. Je kent hem immers al negen maanden. Maar toch is het nu ook anders. Eigenlijk een wereld van verschil. Jij kunt je baby voor het eerst bekijken, en je baby is in een heel nieuwe omgeving. Je vraagt je af: 'Hoe gedraagt hij zich nu? Herken ik iets?'
Je baby zien, horen, ruiken en voelen in zijn eerste levensdagen: dat contact heeft een enorme invloed op de moeder-kind-relatie. De meeste moeders voelen dat zelf feilloos aan. Ze willen gewoon alles meemaken wat hun baby doet. Ze krijgen er niet genoeg van om hem te bekijken. Ze willen zien, horen, voelen en ruiken hoe hun baby reageert op zijn omgeving. Ze willen hem bekijken als hij slaapt en horen hoe hij ademt. Ze willen erbij zijn als hij wakker wordt. Ze willen hem kunnen strelen, knuffelen en besnuffelen, wanneer ze daar zin in hebben.

'Ik merk dat zijn ademhaling verandert als hij plotseling een geluid hoort, of een licht ziet. Ik was eigenlijk een beetje bang, omdat het zo onregelmatig was. Maar nu ik weet dat hij reageert op geluid en licht, voel ik me weer helemaal rustig. Nu vind ik het grappig.' (Bob)

Daarnaast zoeken de meeste moeders de vertrouwde herkenning van de eerste negen maanden. 'Is hij de rustige baby die ik verwachtte? Zijn zijn schopuurtjes op dezelfde tijden? Heeft hij iets speciaals met zijn vader, herkent hij zijn stem?'
De meeste moeders willen 'spelen' met het gedrag van hun baby. Ze willen uitproberen of ze iets beter zus of zo kunnen doen. Ze willen de eigenschappen van hun baby zelf waarnemen, daarop reageren en dan weer merken hoe de baby op hen reageert. Ze willen er zelf achter komen wat zij het beste vinden voor hun baby. Moeders willen wél adviezen, géén voorschriften. En als ze een reactie van hun baby goed voorspellen, zijn ze uitbundig blij. Het is voor hen het teken dat ze hem goed leren kennen. Dit versterkt hun zelfvertrouwen. Ze voelen dat ze het aankunnen als ze na de kraamtijd alleen met hem zijn.

Lief en leed rond 5 weken

Rond 5 weken en soms al rond 4, maakt de ontwikkeling van je baby het eerste sprongetje. Zijn zintuigen maken een snelle groei door. Je baby merkt dat er iets nieuws en vreemds gebeurt in zijn wereld. Hij raakt van slag, huilt en verlangt terug naar zijn meest vertrouwde plek, terug naar mama.
Rond deze leeftijd zoeken alle baby's meer lichaamscontact en aandacht dan ze gewoonlijk doen. Het is dus normaal als je merkt dat je baby dat ook 'vraagt'. Soms duurt die grotere behoefte aan mama maar één dag, soms een hele week.

De sprong kondigt zich aan: terug naar mama

De baby voelt dat er iets aan de hand is. Hij kan het je nog niet vertellen, zich nog niet naar je toe wenden of nog niet zijn armen naar je uitstrekken. Wel kan hij een keel opzetten en lastiger en onrustiger zijn dan normaal. Voor zo'n kleine baby is dit nog de enige manier om duidelijk te maken dat hij van streek is. Hij jengelt, huilt of krijst gewoon het hele huis tot wanhoop. Huilen geeft hem de kans dat mama naar hém toe komt en dat hij bij haar kan blijven.
De baby slaapt slechter. Tenminste als hij alleen in zijn bedje ligt. Soms wil een baby per se op zijn buik liggen. Iets dat hij daarvoor nooit wilde. Maar misschien geeft dat 'op-de-buik' liggen hem het gevoel van het 'buikje-tegen-buik contact' en de veiligheid waar hij nu zo'n behoefte aan heeft.

Dat huilen maakt moeder onzeker

Alle moeders zoeken naarstig naar een reden voor deze huilbuien. Ze proberen of de baby honger heeft. Ze kijken of er een speld los zit en verschonen de baby, want hij zou wel eens last kunnen hebben van een koude, natte broek. Ze proberen hem te troosten en merken al snel dat dit in zo'n huilperiode ook geen 'makkie' is.

Vervolgens merken ze dat hij, eenmaal getroost, toch snel weer opnieuw kan beginnen met dat 'zenuwachtig makende' gehuil. Voor de meeste moeders zijn die plotselinge veranderingen bij de baby nieuw en akelig. Het maakt dat ze zich onzeker voelen en velen kunnen soms echt angstig zijn.

> 'Hij was enorm aanhankelijk. Ik heb veel en vaak met hem op schoot gezeten. Ook als er mensen op bezoek kwamen. Ik was ontzettend bezorgd. Ik heb één nacht nauwelijks geslapen en hem constant geaaid en vastgehouden. Toen kwam mijn zus en ze wilde een nacht bij de baby blijven. Ik kon toen op een andere kamer gaan slapen. En ik heb vreselijk vast geslapen. Ik was helemaal herboren de volgende dag.' (Bob, week 5)

'Zij is eigenlijk héél makkelijk en ineens huilde ze twee dagen bijna dag en nacht. Eerst dacht ik dat het de bekende krampjes waren. Maar ik merkte dat ze stopte als ze op schoot of tussen ons in lag. Ze viel dan ook meteen in slaap. En toen vroeg ik me weer af of ik haar daarmee misschien te veel verwende. Ineens was het huilen ook weer over en nu is ze weer even makkelijk als daarvoor.' (Eefje, week 5)

Vaak zijn moeders ook bang dat de baby iets mankeert. Dat hij pijn heeft en dat iets niet goed werkt in dat kleine lijfje, wat er nu pas uitkomt. Anderen zijn bang dat de borstvoeding niet voldoende is. De baby lijkt immers steeds de borst te willen en eindeloos honger te hebben. Sommige moeders lieten hun kindje onderzoeken door een arts[1]. Toch waren ook deze baby's gezond.

'Ze huilde zo. Ik was bang dat er echt iets fout was. Ze wilde steeds aan de borst. Dus ik naar de kinderarts. Maar er was niets aan de hand. De dokter zei dat ze nog aan de borstvoeding moest wennen en dat veel kinderen zo'n huilperiode hebben als ze vijf weken oud zijn. Ik vond dat wel raar. Mijn borst heeft haar de eerste vier weken niet dwarsgezeten. En haar neefje, dat even oud is, huilde ook zo. En hij heeft flesvoeding. Toen ik dat zei, negeerde de dokter die opmerking. Ik ben er niet meer op doorgegaan, was allang blij dat er niets aan de hand was.' (Juliette, week 5)

Bij mama vermindert de spanning

Omdat de baby voelt dat er iets aan de hand is, heeft hij een grotere behoefte aan veiligheid. Geef aan die behoefte van je baby net zoveel toe als je zelf aankunt. Alles heeft gewoon zijn tijd nodig. Je geur, warmte, stem en manier van vasthouden zijn vertrouwd voor hem. Hij kan bij jou een beetje tot zichzelf komen. En je geeft de baby een gevoel van veiligheid, warmte en geborgenheid in een voor hem moeilijke tijd.

'Soms drinkt zij wel een half uur en wil niet van de borst af. "Gewoon na 20 minuten eraf halen en laten brullen, dan leert zij het zo af", is het advies. Maar ik denk: Laat maar kletsen.' (Nina, week 5)

---

[1] Vraag bij twijfel altijd advies aan je huisarts of het consultatiebureau.

FIJN OM TE WETEN
Het is heel normaal dat je baby vaker aan de borst wil, als zijn ontwikkeling een sprongetje maakt. Er is dan niets met je voeding aan de hand. Je baby is gewoon van slag en zoekt lichaamscontact en troost. De meeste moeders weten dit niet. Velen bellen de vereniging 'Borstvoeding Natuurlijk', als de hangerige periode wat langer duurt. Die moeders hebben het gevoel dat ze aan het voeden kunnen blijven en vragen zich daarom af, of ze wel genoeg hebben. De vereniging noemt die dagen 'regeldagen' en adviseert om toch vooral door te gaan met borstvoeding. Behalve rond 6 weken, bellen moeders de vereniging opvallend vaak rond drie en zes maanden. Het is frappant dat de baby ook rond die leeftijden door een 'hangerige periode' gaat.

Draag hem lekker bij je

De meeste moeders merken dat het huilen minder is, zolang de baby lichaamscontact heeft. Hij is ook beter en sneller te troosten, als hij bij haar is.

> 'Toen ze één grote huilbui was, leek ze ongrijpbaar. Ik heb haar lange tijd moeten masseren voor zij rustiger werd. Ik voelde me toen doodmoe, maar ontzettend voldaan. Daarna is er iets veranderd. Het lijkt nu of zij veel vlugger tevreden is. En als zij huilt, voel ik me meer geroepen om het haar weer aangenaam te maken.' (Nina, week 4)

TROOSTTIPS
Als je de baby rustig wilt krijgen, zijn ritme en warmte belangrijk. Houd de baby rechtop tegen je aan, zijn billetjes op je ene arm, terwijl je met je andere arm zijn hoofdje steunt dat tegen je schouder rust. Hij kan zo het rustgevende geklop van je hart voelen. Dan:
- aai en streel hem;
- wieg hem heen en weer;
- loop rustig met hem rond;
- neurie een liedje;
- klop hem zacht op de billetjes.

Bedenk steeds dat je baby meestal het beste te troosten is met iets dat je ook met hem doet, als hij in een blije stemming is!

Moeders die hun baby bij zich dragen wanneer hij niet 'zichzelf' is, noemen hun baby 'enorm aanhankelijk'. Hij ligt het liefst stilletjes tegen moeder aan om geaaid, gewiegd en geknuffeld te worden. Deze moeders merken ook dat de baby op schoot wel in slaap valt, maar huilt als hij daarna stiekem in bed wordt gelegd.
Moeders die zich aan een voedings- en slaapschema houden, merken regelmatig dat de baby onder het drinken in slaap valt. Sommigen vragen zich af, of de baby door al dat huilen en slecht slapen misschien te moe is om te drinken op de tijd die daarvoor bestemd is. En dat lijkt heel logisch. Immers, ís de baby eenmaal waar hij wezen wil, dan komt hij tot rust en valt in slaap.

'De eerste twee dagen dat hij zo huilde, probeerde ik me nog aan het slaapschema te houden, maar dat werd een totaal fiasco. We werden er allebei gek van. Ik hou hem nu zonder gewetensbezwaren zo lang op schoot als hij wil. Ik voel me hier goed bij. Het is lekker warm en knus. En hij geniet er zichtbaar van. Het voedingsritme is ook weg. Heb ik losgelaten. Hij komt nu vanzelf. Soms drinkt hij langer, soms korter. Hij is nu veel rustiger en ik ben veel gelukkiger.' (Steven, week 5)

SLAAPTIPS

Een slecht slapende baby doet vaak eerder een dutje als hij bij je is. Warmte, bewegingen en zachte geluiden werken rustgevend. Hij valt makkelijker in slaap:

- als hij aan de borst of fles ligt;
- als hij wordt rondgedragen in een draagzak;
- als hij wordt rondgereden in de kinderwagen.

En ook een autoritje doet vaak wonderen.

Een sprong in de rijping

Veel wijst erop dat rond 4 à 5 weken baby's een snelle rijping doormaken, van stofwisseling en ingewanden tot zintuigen. Zo groeien ze rond deze leeftijd vaak over stoornissen in hun spijsvertering heen, als ze die al hadden. Ook kan een 'foutje' dat altijd al aanwezig was, nu duidelijker worden. Bij 'pylorus stenosis' bijvoorbeeld, raakt de doorgang tussen maag en darm, die van meet af aan al vernauwd was, volledig afgeklemd. Hierdoor kan de baby geen eten meer binnenhouden; hij spuugt het telkens weer met een krachtige straal uit. Een kleine operatie kan dit euvel gelukkig verhelpen.

Ook de stofwisseling van de baby verandert rond deze leeftijd. Hij traant nu duidelijk vaker en soms voor het eerst. Verder merken moeders dat hun baby nu langer wakker is. Tenslotte wijst alles erop dat ook de zintuigen een snelle groei doormaken. De baby is duidelijk meer geïnteresseerd in de wereld om hem heen. Geen wonder, want hij kan nu zijn ogen scherp stellen op een grotere afstand. Vlak na de geboorte kon hij alleen nog maar dingen echt scherp zien op een afstand van 20 cm. Hij staat open voor ervaringen. Hij wil iets meemaken. De baby is ineens veel gevoeliger voor stimulatie van buitenaf.

5 tot 6 weken oude baby's zijn zelfs bereid te 'werken' voor enige afleiding. In een laboratoriumexperiment kregen baby's de gelegenheid een kleurenfilm van een moeder die met haar baby speelt, scherp te stellen, door harder op een fopspeen te zuigen. Zodra ze ophielden met zuigen, werd het beeld weer vaag. Omdat baby's op die leeftijd nog moeilijk tegelijkertijd kunnen zuigen en kijken, konden ze de film maar heel even scherp zien. Als de zaak werd omgedraaid en de baby's juist moesten ophouden met zuigen om het beeld scherp te krijgen, konden ze dat ook.

'Tegen het einde van de borstvoeding doet hij soms zo raar. Hij zuigt heel snel en ligt dan verheerlijkt ergens heen te staren. En begint dan weer te zuigen. Hij lijkt dan zo vraatzuchtig, alsof hij zich aan de borst ligt te verlekkeren.' (Thijs, week 5)

Een snelle groei van de zintuigen betekent niet dat de baby er een nieuw 'vermogen' heeft bijgekregen. Hij kan nog steeds de indrukken die zijn, weliswaar verbeterde, zintuigen naar zijn hersenen sturen niet verwerken, zoals wij volwassenen dat doen. Sterker nog: hij raakt zelfs vaardigheden kwijt. De aangeboren voorkeur om een schematisch namaakgezicht te volgen met zijn ogen en/of zijn hoofd verdwijnt plotseling. Het draaien van zijn hoofd in de richting van een geluid en het nadoen van gezichtsbewegingen verdwijnen ook. Er zijn aanwijzingen dat deze primitieve vaardigheden geregeld werden door lagere delen van de hersenen en nu onderdrukt beginnen te worden door nieuwe groei in delen van de hogere, grote hersenen.

WAT ZIE JE NU VAKER?

De baby heeft meer interesse in zijn omgeving:

- Kijkt vaker en langer naar iets. .... ☐
- Luistert vaker met meer aandacht ergens naar. .... ☐
- Reageert duidelijker op aanrakingen. .... ☐
- Reageert duidelijker op geuren. .... ☐
- Glimlacht voor het eerst, of veel vaker dan voorheen .... ☐
- Maakt vaker pleziergeluidjes. .... ☐
- Laat vaker merken wat hij leuk of vervelend vindt. .... ☐
- Laat vaker merken dat hij weet wat er gaat gebeuren .... ☐
- Is langer wakker en bezig. .... ☐
- Wat verder opvalt: ....
  ....

Lichamelijke veranderingen

- Ademt regelmatiger. .... ☐
- Schrikt en siddert minder. .... ☐
- Traant voor het eerst (of veel vaker dan voorheen) als hij huilt. .... ☐
- Groeit over de meeste spijsverteringsstoornissen heen:
  - verslikt zich minder; .... ☐
  - geeft minder over; .... ☐
  - heeft minder last met boeren. .... ☐
- Wat verder opvalt: ....
  ....

Heeft jouw baby een lievelingszintuig?

Alle baby's maken dezelfde snelle groei van de zintuigen door. Zij krijgen allemaal meer aandacht voor alles wat om hen heen gebeurt. Toch toont de ene baby het heel anders dan de andere. Er zijn er die vooral genieten van dingen die ze zien, anderen zijn echte luisterbaby's. Weer anderen worden liever de hele dag geknuffeld en geaaid. Sommigen vinden alles even leuk. Alle baby's zijn immers anders.

'Ik zit op het conservatorium en neem haar iedere dag mee. De eerste weken reageerde zij heel weinig op geluiden en daar maakte ik me echt zorgen om. Nu is zij ineens vreselijk met geluiden bezig. Als zij wakker wordt en huilt, wordt zij zelfs prompt stil als ze mij hoort zingen. De anderen lukt dat niet!' (Odine, week 6)

Hoe speel je op de sprong in?

Allereerst heeft je baby steun en koestering nodig. Deze sprong ligt immers niet in het verstandelijke vlak, maar is eerst en vooral lichamelijk. Op deze leeftijd kun je je baby niet verwennen. Troost hem altijd als hij huilt.

ALS DE STRESS TE VEEL WORDT
Een sprong is voor zowel baby als moeder een ingrijpende, stressvolle gebeurtenis. Voor baby en moeder kan de spanning te groot worden. Beide kunnen uitgeput raken als ze zich te veel zorgen maken en daardoor ook nog eens slecht slapen.

- De baby is in de war en huilt.
- En dit huilen maakt iedere moeder onzeker en vaak angstig. De spanning kan te groot worden, moeder kan het niet meer aan.
- De baby voelt die extra spanning aan, wordt nog hangeriger en huilt nog harder dan hij al deed.

Baby en moeder kunnen verlost worden van die extra spanning. En wel door steun en medeleven.

- De baby kan getroost worden door lichaamscontact en aandacht. Hij is dan beter en vlugger in de gelegenheid om rustig alle veranderingen te verwerken. Zo'n steun geeft zelfvertrouwen. Hij weet dat er iemand voor hem klaarstaat als het nodig is.
- Moeder moet kunnen rekenen op steun van de omgeving in plaats van op 'kritiek'. Dit geeft haar het zo broodnodige zelfvertrouwen. Ze kan dan volgende moeilijke perioden beter aan.

Daarnaast biedt de groei in de zintuigen een aanknopingspunt om je baby nieuwe dingen te laten ontdekken. Geef je baby de gelegenheid om van zijn zintuigen te genieten. Bekijk eerst wat jouw baby het fijnst vindt, waar hij het meest van geniet en speel daarop in. Dat kun je ontdekken door goed te bekijken wat hij 'bestudeert'. Bied hem dat dan ook aan.

Hoe merk je wat je baby fijn vindt?

Je baby glimlacht als hij op de een of andere manier prettig gestimuleerd wordt. Dat kan zijn via dingen die hij ziet, hoort, ruikt, proeft of voelt. En omdat zijn zintuigen nu gevoeliger zijn, glimlacht hij ook vaker. Als moeder kun je daar gebruik van maken. Je kunt datgene met hem doen wat zijn glimlach uitlokt.

'We dansen altijd samen in het rond en als ik dan stilsta glimlacht hij.' (Jan, week 6)

'Als ik met mijn gezicht dicht naar haar toe kom en haar glimlachend toespreek, maakt ze echt oogcontact en dan een brede grijns. Zalig is dat.' (Laura, week 5)

'Ze glimlacht ook tegen haar poppen en beren.' (Jetteke, week 6)

Waar kijkt je baby naar, hoe kun je helpen?

Je baby kijkt vaker naar iets dat hem boeit. Meestal zijn dat kleurige dingen. Hoe feller de kleuren tegen elkaar afsteken, hoe boeiender hij het vindt. Ook strepen en hoeken trekken zijn aandacht. En je gezicht.
Terwijl je rondloopt met je baby, merk je vanzelf wat je baby het liefst ziet. Geef hem gelegenheid en tijd om dat goed te bekijken. Houd er rekening mee dat je baby alleen dingen scherp ziet als ze binnen 30 cm zijn. Sommige baby's vinden het leuk om steeds iets bekends te zien. Andere verliezen juist snel de aandacht als ze steeds hetzelfde zien. Als je merkt dat je baby zich verveelt, laat hem dan dingen zien die lijken op dat wat hij graag ziet, maar die toch nét iets anders zijn.

'Hij kijkt je recht in je gezicht aan en houdt dat nu een tijdje vol. Maar hij vindt het "raar" als ik eet. Hij kijkt dan vol aandacht naar mijn mond en het kauwen.' (Rudolf, week 6)

'Ze staat veel meer open voor alles wat ze ziet. Haar voorkeur gaat uit naar de spijlen van de box die afsteken tegen de witte muur, naar boeken in de boekenkast, naar ons plafond van lange houten latten met een donker streepje ertussen en naar een zwart-witte pentekening aan de muur. 's Avonds hebben lampen die aan zijn de grootste aantrekkingskracht.' (Xara, week 5)

'Wanneer ik een groen-geel balletje langzaam van links naar rechts beweeg, gaat haar hoofd mee. Een heel leuk spelletje. Misschien nog meer voor haar trotse moeder dan voor haar zelf.' (Ashley, week 5)

Waar luistert je baby naar, wat kun je doen?

Alle baby's hebben meer aandacht voor geluiden. Of ze nu brommend, piepend, rinkelend, ruisend of snorrend klinken. Ook mensenstemmen zijn vaker interessant. Hoge (vrouwen)stemmen zijn het boeiendst. En moeders stem is verreweg favoriet.

Als je baby 5 weken oud is, kun je al leuke gesprekjes voeren. Ga daar lekker voor zitten en houd je gezicht dicht bij dat van de baby. Vertel over huis-, tuin- en keukendingetjes, of wat je maar wilt. En pauzeer af en toe als de baby wil 'antwoorden'.

> 'Ik heb het idee dat hij nu ook echt naar mijn stem luistert. Dit is opvallend.' (Thijs, week 5)

> 'Ze antwoordt soms als ik met haar klets. De geluidjes die ze maakt, zijn langer geworden, net of ze iets vertelt. Schattig. Gisteren "praatte" ze ook zo tegen haar konijntje in bed en tegen haar zonnetjesrammelaar in de box.' (Odine, week 5)

'Geluidentaal': laat merken dat je hem begrijpt

Je baby gebruikt zijn verschillende huil- en pleziergeluiden nu veel vaker. Ieder geluid hoort bij een bepaalde situatie. Met een 'zielig' huiltje valt hij gewoon in slaap. En dat is absoluut niet het geval bij een andere huil. Dan is er iets aan de hand. Hij maakt ook pleziergeluiden. Die laat hij horen als hij ergens naar kijkt of luistert. Moeders begrijpen de baby ineens beter. Als jij dat ook doet, laat hem dat ook merken. Je baby is heel gevoelig voor een compliment.

> 'Ik hoor duidelijk pleziergeluidjes als ze iets fijn vindt, en boze geluidjes als haar iets niet zint. Ze kraait zo nu en dan even van plezier als ze haar mobile ziet, en geniet duidelijk als ik dat nadoe.' (Odine, week 6)

Wat voelt je baby: Hoe reageer je daarop?

Alle baby's hebben ook meer aandacht voor aanrakingen. Soms hoor je een baby nu voor het eerst hardop lachen als hij gekieteld wordt. Maar de meeste baby's spreekt kietelen nog niet erg aan. Het is bijna altijd te veel van het goede.

> 'Ze heeft hardop gelachen, echt een bulderlach, toen ze gekieteld werd door haar broer. Iedereen schrok en het werd doodstil.' (Xara, week 5)

BEDENK: HET IS SNEL TE VEEL VOOR JE BABY

Laat je steeds leiden door je baby. Stop als je merkt dat het hem te veel wordt.

- De zintuigen van je baby zijn gevoeliger. Daarom wordt elke stimulatie ook sneller te veel van het goede. Als je met hem speelt, knuffelt, dingen laat zien en horen, moet je daarop letten. Je moet je aanpassen.
- Je baby kan zich nog niet lang concentreren. Hij heeft steeds een korte pauze nodig om uit te rusten. Het lijkt misschien dat hij geen zin meer heeft. Maar wacht even af. Hij is meestal zo weer klaar om verder te gaan.

De sprong is genomen

Met 6 weken breekt weer een makkelijke periode aan. De baby's zijn vrolijker, wakkerder, meer bezig met kijken en luisteren. De oogjes staan 'helderder', vinden veel moeders. En de baby's laten goed merken wat ze willen en wat niet. Kortom, alles is wat duidelijker dan voorheen.

> 'Ik heb nu meer contact met hem. De uurtjes die hij op is, zijn ineens interessanter.' (Dirk, week 6)

> 'Hij voelt steeds meer eigen aan me, steeds vertrouwder.' (Bob, week 6)

foto

Na de sprong

Leeftijd : ....

Wat opvalt : ....

Lief en leed rond 8 weken

Rond 8 (7-9) weken kondigt het volgende sprongetje zich aan. Op deze leeftijd krijgt je baby een nieuw vermogen. Daarmee kan hij nieuwe dingen leren. Vaardigheden die hij voor deze leeftijd nooit had kunnen leren, hoe vaak je het ook geoefend zou hebben.
Maar dat nieuwe vermogen brengt niet alleen fijne dingen. Het zet ook de vertrouwde belevingswereld van je baby op zijn kop. Hij ziet, hoort, ruikt, proeft en voelt dingen die totaal nieuw voor hem zijn. Zijn oude wereld is niet meer wat die geweest is. Hij is verbaasd, verward, perplex. Hij moet alles rustig tot zich laten doordringen. Hij moet alles verwerken en dat doet hij het liefst vanuit een vertrouwde, veilige plek. Hij wil terug naar mama. Deze hangerige periode duurt een paar dagen tot twee weken.

OM TE ONTHOUDEN
Als jouw baby 'hangerig' is, let dan alvast op nieuwe vaardigheden of pogingen daartoe.

De sprong kondigt zich aan: terug naar mama

Alle baby's huilen meer. Met dit huilen laat een baby de spanning horen die hij voelt, als zijn ontwikkeling de sprong maakt. En huilen is voorlopig nog de duidelijkste manier waarop hij dat kan. Het trekt mama's aandacht. Huilbaby's huilen nóg meer dan ze al deden. Moeders worden er gek van. Vaders ook. Zelfs al sjouwen moeders ze dag en nacht rond, dan nog zijn zij moeilijk te troosten.
Alle baby's worden rustiger als ze lichaamscontact hebben. Sommigen willen dat liefst zo intiem mogelijk. Ze willen het liefst in moeder kruipen. Ze willen dat ze helemaal omgeven worden door lichaam, armen en benen. Ook willen ze dat moeder al haar aandacht op hen richt. En ze verzetten zich als aan die aandacht en dat lichaamscontact een einde komt.

Hoe merk je dat je baby 'bij mama wil blijven'?

Wil hij (vaker) beziggehouden worden?
De baby wil vaker samen met moeder iets doen. Hij wil haar volledige aandacht. Hij wil niet meer in de box of op de grond liggen, wat hij daarvóór zonder protest deed. Hij wil eventueel wel in de wipstoel zitten. Als moeder tenminste bij hem blijft. Hij wil het liefst dat moeder naar hem kijkt, met hem praat en speelt.

> 'Ze wil ineens 's avonds niet meer naar bed. Huilt dan erg en is onrustig. Wij willen dan wel wat rust. Dus houden wij haar bij ons op de bank of tegen ons aan en troosten haar. En dan is ze wel rustig. Ze is eigenlijk altijd heel gemakkelijk.' (Eefje, week 8)

Is hij eenkennig?
Hij glimlacht niet meer zo vaak tegen mensen die hij niet de hele dag ziet. Of het duurt wat langer voor hij loskomt. Heel soms huilt hij als ze dichterbij komen en hij lekker bij moeder zit. Sommige moeders vinden dat jammer: 'Hij was altijd zo vrolijk.' Anderen vinden het prettig: 'Ik ben toch ook de enige die dag en nacht voor hem klaarstaat?'

> 'Wij hebben het idee dat ze veel sneller naar mij lacht dan naar een ander. Ze heeft dan even langer tijd nodig.' (Ashley, week 9)

Eet hij slechter?
Hij wil het liefst de hele dag aan de borst. Als hij er aan ligt, drinkt hij amper. Het is goed zolang hij de tepel maar ín of tegen zijn mond voelt. En als hij eraf gehaald wordt, protesteert hij onmiddellijk, tot hij de tepel terugkrijgt.
Natuurlijk kun je dit gedrag alleen zien bij baby's die zelf mogen bepalen wanneer ze aan de borst willen. Sommige van deze moeders denken dat er iets met de borstvoeding aan de hand is. Anderen twijfelen of ze wel de juiste keuze hebben gemaakt. Echter, de borst is er nu niet als voedselbron. Hij is er als troostbron. In deze periode duimen sommige baby's dan ook vaker, of sabbelen op hun vingers.

> 'Ik voel me soms net een wandelende melkfles, een object dat altijd klaar moet staan. Ik erger me dan. Zouden andere moeders die de borst geven, dat ook hebben?' (Thijs, week 9)

Klampt hij zich wat steviger aan je vast?
Hij klampt zich aan je vast. Vooral als hij merkt dat een 'rondsjouwperiode' ten einde is. Hij doet dat niet alleen met zijn vingers. Soms ook met zijn tenen. Hij is dan moeilijk weg te leggen. Letterlijk en figuurlijk. Moeders vinden het vertederend, zielig. Ze voelen zich eventjes gewild.

> 'Als door een bij gestoken, grijpt zij mijn haar of kleding vast als ik me vooroverbuk om haar neer te leggen. Ik vind dat eigenlijk heel lief, ofschoon ik liever had dat zij dat niet deed. Nou voel ik me eigenlijk een beetje "schuldig" als ik haar toch wegleg.' (Laura, week 9)

Slaapt hij slechter?
In deze moeilijke periode slapen veel baby's slechter. Sommigen huilen al als ze in de slaapkamer komen. En daarom denken moeders dat de baby bang is voor de wieg. Baby's die slechter slapen, doen dat op hun eigen manier. Sommige baby's hebben vooral moeite met inslapen. Anderen worden vaker en sneller wakker. Maar het resultaat is hetzelfde: ze slapen minder. En daardoor zijn zij ook vaker in de gelegenheid om te huilen.

BABY VAN SLAG: HOE TOONT HIJ DAT?

- Huilt vaker ☐
- Wil vaker beziggehouden worden ☐
- Eet slechter ☐
- Is (vaker) eenkennig ☐
- Klampt zich wat steviger aan je vast ☐
- Slaapt slechter ☐
- Zuigt (vaker) op zijn duim ☐
- Wat verder opvalt: ....

Zorgen[1] en irritaties

Moeder is bezorgd

Alle moeders zijn bezorgd als de baby vaker huilt en zo hangerig is. De ene meer dan de andere. Meestal zie je dat een moeder die zich weinig zorgen maakt, een makkelijke of rustige baby heeft. Deze huilt amper meer dan gewoonlijk en is ook sneller te troosten. Maar de meeste baby's zijn gemiddeld. Ze huilen duidelijk vaker en zijn veel moeilijker te troosten. En dat geldt al helemaal voor huilerige, prikkelbare baby's. Die huilen, zo mogelijk, nog drie keer zoveel en zo hard. Ze kronkelen zich in allerlei bochten, ze vechten als het ware. Tijdens zo'n hangerige periode zijn hun moeders dan vaak bang dat het hele gezin er aan kapotgaat.

> 'Het is vreselijk, zo'n huilbaby. Ze huilt nu constant en slaapt amper nog. Ons hele gezin gaat eraan. Mijn man komt 's avonds met lood in de schoenen thuis, omdat hij denkt dat er wel weer de hele avond poppenkast zal zijn.' (Jetteke, week 7)

> 'Als hij doorhuilt, haal ik hem steeds bij me. Ik merk dat ik niet goed raad weet met uitspraken als: "Kinderen hebben huiluurtjes." Tegelijk heb ik momenten dat ik hem gewoon even wil laten huilen, omdat ik óp ben. Maar dan denk ik weer aan de flats die enorm gehorig zijn en ik voel me daar dan ook weer door beïnvloed.' (Steven, week 9)

> 'Soms, als zij huilt en niet te troosten is, kan ik het niet meer aan. Vaak moet ik zelf flink huilen en dan gaat het weer.' (Xara, week 10)

> 'Soms heb ik dagen dat ik twijfel of ik het wel goed doe. Of ik wel genoeg aandacht voor hem heb, enzovoort. Vooral het omgaan met zijn huilen vind ik heel moeilijk soms. En in een van die dagen las ik dat een baby rond zes weken lacht tegen zijn moeder. De mijne lachte nooit naar me. Wel in zichzelf. En dat voedde mijn twijfel nog eens volop. En vanavond schonk hij me ineens zo'n stralende lach. De tranen liepen over mijn wangen. Het was zo ontroerend. Het klinkt misschien raar, maar ik kreeg het gevoel dat hij me gewoon even steunde.' (Bob, week 9)

[1]Vraag bij twijfel altijd advies aan je huisarts of het consultatiebureau.

Alle moeders willen uitzoeken waarom de baby meer huilt. Loopt mijn borstvoeding terug? Is hij ziek? Is hij nat? Op schoot is alles goed, is hij dan verwend? De meeste moeders vinden de oplossing in 'darmkrampjes'. De baby beweegt immers heftig. Andere moeders kunnen geen reden geven en blijven onzeker. Sommigen huilen mee. Een enkele keer gaat een moeder naar de dokter. Of ze praat er over op het consultatiebureau.

> 'Hij huilt eigenlijk nooit, hij is zó makkelijk, makkelijker kan gewoon niet. Maar deze week had hij geregeld last van darmkrampjes.' (Jan, week 9)

Moeder ergert zich
Alle moeders ergeren zich, zodra ze er zeker van zijn dat de baby geen goede reden heeft om te blijven huilen en klitten. Zo'n moeder vindt haar baby verwend, ondankbaar. Ze wordt gek van het gehuil. Ze is moe, uitgeput en heeft nog zoveel te doen. Ze is vaak ook bang dat vader, vrienden, familie of buren haar kind lastig vinden. Of dat ze zullen zeggen dat ze hem harder moet aanpakken. Want ook al twijfelt ze of ze daar goed aan doet, ze kan het meestal toch niet nalaten om hem steeds weer te gaan troosten.

> 'Heb ik hier nou mijn baan voor opgegeven... al acht weken janken. Ik ben echt ten einde raad. Ik weet niet wat ik nog meer kan doen.' (Jetteke, week 8)

> 'Ik erger me vreselijk als ik haar eindelijk na een uur troosten in slaap heb gekregen en ze meteen wéér begint te "zeuren" op het moment dat ik haar neerleg. Alleen bij mij in de armen is het goed. Dit irriteert me enorm. Ik kom nergens meer aan toe.' (Laura, week 8)

> 'Ik moest hem de hele tijd bezighouden. Niets hielp echt goed, rondlopen niet, aaien niet, zingen niet. Eerst voelde ik me machteloos en loodzwaar. En toen ineens heel agressief. Ik heb toen gierend zitten huilen... Ik heb gevraagd of hij twee keer een halve dag naar een kinderdagverblijf kan, zodat ik wat meer ruimte voor mezelf heb. Dat gehuil maakt me af en toe ontzettend leeg en moe. Ik ben constant aan het zoeken waar mijn grens ligt en de zijne.' (Bob, week 9)

Moeder ergert zich en vindt het 'welletjes'
Heel zelden zegt een moeder dat ze echt boos op de baby is geworden. En hem wat harder dan nodig heeft neergelegd. Ze schrikt daar altijd zelf van. Het was alsof het vanzelf ging.

> 'Ze huilde deze week nog meer dan de vorige. Ik werd er gek van. Had het toch al zo druk. Ik heb haar toen op het aankleedkussen op de commode gegooid. Ik schrok nadat ik dat gedaan had en realiseerde me dat dat toch niet hielp. Ze krijste nog harder. Ik kan me nu voorstellen dat kinderen op zulke "krampjesdagen" mishandeld worden. Maar ik had het nooit van mezelf gedacht.' (Juliette, week 9)

Lichaamscontact vermindert de spanning
Rond 8 weken is 'terug naar mama willen' normaal. Alle kinderen willen dat immers. Het ene kind toont die wens duidelijker dan het andere. Hui-

lerig en hangerig zijn is nu de gewoonste zaak van de wereld. Het betekent dat de baby goed vooruitgaat. Dat zijn ontwikkeling een sprongetje maakt. Dat hij van slag is, omdat zijn wereld er zo vreemd uitziet. Daarom wil hij zijn moeder als vertrouwde en veilige basis gebruiken, dan ontspant hij beter. Hij kan van háár uit zijn 'nieuwe wereld' ontdekken.
Stel je voor dat je van slag bent en niet getroost wordt. Je blijft langer en erger onder spanning staan. Al je energie gaat zitten in die spanning. Je kunt je problemen niet duidelijk onder ogen zien.
Zo is het ook voor je baby. Als zijn ontwikkeling een sprongetje maakt, ontwaakt hij als het ware in een 'nieuwe wereld'. Hij voelt zich zwaarder belast dan hij aankan. Hij huilt. En hij zal blijven huilen, tot zijn probleem is opgelost. Al zijn energie zit dus in het huilen. En dat huilen slokt alle tijd op. Tijd die hij zou kunnen besteden aan het leren kennen van zijn 'nieuwe wereld'.

WAAR JE AAN MOET DENKEN
Baby's van deze leeftijd zijn nog gemaakt om gepakt, geaaid en geknuffeld te worden. Zij kunnen daar niet genoeg van krijgen.

Door zijn hangerigheid ontdek je dat je baby méér kan
Omdat een moeder zich zorgen maakt over en ergert aan de hangerigheid van haar baby, houdt ze hem extra goed in de gaten. Wat zit er fout? Waarom is hij zo lastig? Wat kan ik doen? Verwen ik hem en kan hij meer? Verveelt hij zich? Kan hij zichzelf niet bezighouden? Moet ik hem iets leren? En dan ontdekt ze wat hem dwarszit. Ze ziet dat hij eigenlijk veel nieuwe dingen doet, of probeert te doen. In feite ontdekt ze de allereerste vaardigheden, die ontstaan omdat haar baby een nieuw vermogen heeft gekregen. Dit nieuwe vermogen stelt hem in staat nieuwe dingen te leren. Dingen die hij vóór deze leeftijd nooit had kunnen leren. Ook al zou je het de hele dag door geprobeerd hebben. Rond acht weken is dat het vermogen tot het waarnemen en gebruiken van 'patronen'. Je kunt dit vermogen vergelijken met een nieuwe winkel die wordt geopend.

De sprong: de 'winkel van de patronen'

De baby beleeft de wereld en zichzelf niet langer als één geheel, als één 'soepje'. Hij begint vaste 'patronen' in dit soepje te onderscheiden. Bijvoorbeeld: hij ontdekt zijn handjes. Hij bekijkt ze verbaasd en draait ze rond. En nu hij weet dat hij ze heeft, kan hij ze ook gaan gebruiken. Hij zal ze gebruiken om te proberen iets te pakken.
Naast het feit dat hij 'patronen' kan zien, kan hij ze ook horen, ruiken, proeven en voelen. Hij neemt 'patronen' waar met al zijn zintuigen. Hij neemt ze waar buiten zijn lichaam én binnenin. Bijvoorbeeld: hij kan nu voelen dat zijn arm omhoog anders aanvoelt dan wanneer die omlaag hangt. Tegelijkertijd kan de baby nu ook 'patronen' binnenin zijn lichaam gaan beheersen. Hij kan nu lichaamshoudingen 'vasthouden'. Niet alleen van zijn hoofd, romp, benen of armen, maar ook in kleinere lichaamsonderdelen. Hij kan allerlei gezichten trekken, omdat hij de beheersing heeft over

zijn gezichtsspieren. Hij kan zijn stembanden in een bepaalde stand houden. En hij kan zijn ogen even ergens op scherp stellen. Hij kan nu zijn oogspieren beter gebruiken.
Veel automatische reacties (reflexen) die de baby bij zijn geboorte had, raakt hij nu kwijt. Ze worden vervangen door iets dat doet denken aan een bewuste beweging. De baby kan nu leren om 'bewust' zijn handjes om een speeltje te sluiten. Hij kan leren om in één beweging aan de borst te gaan, in plaats van daar na veel bewegingen als bij toeval op te stuiten. Hij is niet langer volledig afhankelijk van zijn reflexen. Alleen als de baby hongerig is of van streek, valt hij terug in zijn oude manier van bewegen.
Toch zien die eerste 'bewuste' bewegingen van de baby er nog niet 'volwassen' uit. Zij zijn nog houterig van kwaliteit. De baby schiet als het ware van de ene houding in de andere. En dat blijft zo, tot het volgende sprongetje zich aankondigt.

Wat kiest jouw baby uit de 'winkel van de patronen'?

Alle baby's hebben hetzelfde vermogen gekregen. De nieuwe winkel is voor allemaal toegankelijk. Er ligt een uitgebreide schakering van koopwaar. Uit die schakering maakt iedere baby zijn eigen keuze. Hij pakt wat hem het meest aanspreekt. Sommigen kiezen van alles wat. Anderen zijn vooral geïnteresseerd in kijk-zaken. Weer anderen in babbel-en-luisterdingen. Weer anderen zijn meer doeners. En ga zo maar voort. Dat betekent dus dat de nieuwe vaardigheden die een vriendin in haar baby ziet, hele andere kunnen zijn dan de vaardigheden die jij ontdekt. Want datgene wat de baby doet of leuk vindt, wordt voor een groot deel bepaald door zijn lichaamsbouw, zijn gewicht, zijn aanleg en interesse.
Kijk goed naar je baby. Stel vast wat híj graag wil. Waar zíjn belangstelling naar uitgaat. En doe dat zo objectief mogelijk. In het kader: 'Wat heeft de "winkel van de patronen" in de aanbieding', is ruimte om aan te geven wat je baby heeft gekozen. Verder kun je er zelf ook winkelen, om te zien of er vaardigheden bij zijn die de baby ook best leuk zou kunnen vinden. Maar waar hij nog niet aan gedacht heeft.

WAT HEEFT DE 'WINKEL VAN DE PATRONEN' IN DE AANBIEDING?

De afdeling 'zelf doen':

- Kan het hoofd zelf rechtop houden als hij goed wakker is .... ☐
- Draait duidelijk het hoofd in de richting van iets .... ☐
- Gooit zich vanuit zijligging op buik .... ☐
- Gooit zich vanuit zijligging op rug .... ☐
- Trappelt met benen en zwaait met armen .... ☐
- Laat zich optrekken tot zit .... ☐
- Laat zich optrekken tot staan .... ☐
- Drukt zich op in buikligging .... ☐
- Wil opvallend vaak zitten, zit vooroverhellend op schoot .... ☐
- Kan naar links en rechts kijken in buikligging .... ☐
- Trekt allerlei gezichten, 'speelt' met zijn gezicht .... ☐
- Wat verder opvalt: ....
  ....

De afdeling 'pakken, tasten en voelen':

- Wil speeltje pakken dat iets verder ligt. Lukt niet ☐
- Slaat tegen speeltje (voorbode van pakken) ☐
- Trappelt met voetjes tegen een speeltje (stoterig) ☐
- Sluit zijn hand om een speeltje, als dit voor het grijpen hangt ☐
- Pakt speeltje (bijv. sleutelbos) en beweegt het (wat houterig) op en neer ☐
- Voelt aan speeltjes, zonder te pakken ☐
- Wat verder opvalt: ....
....

De afdeling 'kijken':

- Ontdekt handjes ☐
- Ontdekt voetjes ☐
- Ontdekt knietjes ☐
- Bekijkt mensen die door de kamer lopen of bezig zijn ☐
- Wordt geboeid door kinderen die in de kamer spelen ☐
- Kijkt graag naar televisiebeelden die snel veranderen ☐
- Bekijkt de hond/poes als deze iets doet: loopt, eet, springt ☐
- Ontdekt de vogel als deze fladdert in de kooi ☐
- Wordt geboeid door wapperende gordijnen ☐
- Ontdekt lichtgevende dingen: bijv. een kaars die flikkert ☐
- Bekijkt boomkruinen die voorbijtrekken als hij in de draagzak is, of als hij op zijn rug in de kinderwagen ligt. Vooral als er ook nog zonlicht doorheen speelt en als de takken ruisen ☐
- Bekijkt de gevulde rekken in de supermarkt, waar hij 'langskomt' ☐
- Bekijkt moderne schilderkunst met veel vormen (= gebogen lijnen) en kleuren. Vooral als hij er naar kijkt terwijl hij gewiegd wordt ☐
- Is geboeid door glinsterende kleding of sieraden ☐
- Hij kijkt graag naar een etende mond ☐
- Hij luistert en kijkt naar een pratende mond ☐
- Bekijkt de mimiek van een gezicht ☐
- Wat verder opvalt: ....
....

De afdeling 'luisteren':

- Luistert graag naar stemmen, praten, zingen, hoge tonen ☐
- Maakt korte stootgeluidjes: ah, uh, èèh, mmm en luistert naar zichzelf ☐
- Maakt een serie van die geluidjes, mompelt en murmelt, net of hij vertelt ☐
- Doet diezelfde geluidjes na, als je het uitlokt ☐
- Zingt op eigen manier mee als je met hem danst en zingt ☐
- 'Praat' en lacht tegen knuffels ☐
- Trekt aandacht met èèh-geluidjes, 'bewust' ☐
- Komt ertussendoor als anderen praten ☐
- Wat verder opvalt: ....
....

Bedenk steeds dat je baby nooit in één klap alle 'goederen' in deze winkel kan opkopen. Met acht weken krijgt hij voor het eerst toegang tot de winkel. Maar wanneér hij zich wát eigen maakt, hangt af van de interesse van de baby en de gelegenheid die hij krijgt.

De uitwerking van de sprong: Help je baby bij het leren

Nu begint het tweede deel van je 'taak'. Je kunt de baby helpen om vaardigheden waar hij belangstelling voor heeft, verder te ontwikkelen. Hoe doe je dat?

- Begroet elke poging van de baby om iets te proberen met enthousiasme. Als hij wordt geprezen, zal hij zin hebben om door te gaan.
- Balanceer tussen net genoeg uitdaging en net niet te veel eisen. Probeer uit wat de baby fijn vindt.
- Stop als de baby aangeeft er genoeg van te hebben.

HOE JE MERKT DAT DE BABY MET RUST GELATEN WIL WORDEN
- Hij kijkt weg van je.
- Als hij heel sterk is, keert hij zijn lijfje van je af.

Stop met spelen als je baby laat merken dat hij er genoeg van heeft. Soms duren die pauzes maar even, maar hij heeft ze nodig. Hij moet even alles verwerken. *Laat je steeds rustig door de reacties van je baby leiden!*

Sommige dingen moet je baby zelf oefenen. Maar een beetje enthousiasme van jouw kant zal hem er toch wel van overtuigen dat hij op de goede weg is.

ZO ZIJN BABY'S
Alles wat nieuw is, vindt je baby het leukst. Reageer daarom altijd en vooral op de nieuwe dingen, vaardigheden en interesses die je baby toont. Hij leert dan prettiger, makkelijker, sneller en meer.

Help je baby dingen scherp te zien

In het vorige hoofdstuk hebben we gezien dat baby's in een laboratoriumexperiment bereid zijn, hard te 'werken' om een film scherp te zien. Dat konden ze voor elkaar krijgen door sneller op een fopspeen te zuigen. Zodra ze ophielden met zuigen, werd de filmprojector weer op vaag gezet. Daardoor konden de baby's maar heel even van hun arbeid genieten. Ze konden immers nog niet tegelijkertijd zuigen en kijken. Dat kunnen ze vanaf deze sprong wél. Dat kan vervelende gevolgen hebben.

'Hij beet ineens zo hard in mijn tepel, dat ik automatisch uithaalde en hem bijna een klap gegeven had. Ik schrok me rot van mijn eigen reactie. Hij wilde ook eerst nog niet loslaten. Ik snap niet waarom hij dat deed.' (Steven, week 10).

Houd in gedachte: hij doet dit niet omdat hij geen honger heeft, of omdat hij vervelend wil zijn. Hij gaat gewoon volledig op in zijn 'werk'. Net als een volwassene die zijn uiterste best doet om netjes te schrijven en daarbij het puntje van zijn tong uitsteekt.
Je kunt je baby helpen met oefenen, door hem kleurrijke speeltjes te laten zien op verschillende afstanden. Zorg er voor dat je datgene wat je laat zien zachtjes beweegt, dan vang je eerder zijn aandacht en houd je die ook langer vast. Beweeg het ook eens langzaam voor- en achteruit en bekijk tot welke afstand je baby het nog met interesse volgt.

Laat je baby 'echte' dingen zien
Heb je al gemerkt dat je baby plotseling liever naar 'echte dingen' kijkt, in plaats van naar dezelfde dingen op plaatjes? Toch heeft hij nog steeds je hulp nodig. Hij kan nog niet dicht genoeg overal bijkomen. Wil hij het van nog dichterbij kunnen bekijken, dan heeft hij jouw handen nodig om het voor hem te pakken. Geef hem die kans.

'Alles vindt ze leuk: schilderijen, boeken, planken, de inhoud van de voorraadkast. Overal moet ik met haar naar toe. Ik neem haar ook op de arm mee naar buiten en de winkels in.' (Odine, week 11)

Varieer de omgeving van je baby
Na acht weken kan je baby verveeld raken, als hij steeds hetzelfde ziet, hoort, voelt, ruikt of proeft. Hij kan een 'patroon' waarnemen en merkt dus ook dat datzelfde 'patroon' steeds terugkomt: hetzelfde speeltje, hetzelfde uitzicht, hetzelfde geluid, hetzelfde gevoel en dezelfde smaak. Voor het eerst in zijn leven ziet hij dit niet meer zitten. Hij wil variatie. Als je dit merkt, geef hem dat dan. Draag hem of neem hem met je mee in zijn wipstoel.

Help je baby zijn handen en voeten te ontdekken
Je baby kan nu tot de ontdekking komen, dat er af en toe voorwerpen door zijn gezichtsveld fladderen die een onderzoek waard zijn: zijn handen en zijn voeten. Hij kan er verbaasd naar kijken. Hij kan ze ernstig bestuderen. Iedere baby onderzoekt ze op zijn eigen manier. De ene besteedt er veel tijd aan, de andere amper. Bij de meeste baby's zijn vooral de handjes in trek, misschien omdat hij ze vaker 'ontmoet'.

'Hij bekijkt in detail hoe zijn hand beweegt. Daarbij speelt hij heel subtiel met zijn vingertjes. Hij houdt zijn hand met gespreide vingers boven zijn hoofd als hij ligt. Soms doet hij zijn vingers één voor één open en dicht. Of doet hij zijn handjes in elkaar, of op elkaar. Het is dan één blijvende beweging van gebaren.' (Bob, week 9)

Geef je baby de kans om zijn hand zoveel en zolang te bekijken als hij nodig vindt. De baby moet weten wat handen zoal kunnen, voordat hij ze goed kan gaan gebruiken. Het is dus heel erg belangrijk dat hij 'grijpgereedschap' leert kennen.

Leer je baby zijn handen om een speeltje te klemmen

Probeert hij zijn hand te gebruiken? Bijvoorbeeld door die om een rammelaar te klemmen? Hij ziet immers veel meer dingen en wil ze ook hebben. Maar dat lukt meestal niet meteen. Toch kan hij moeders enthousiasme en aanmoediging goed gebruiken bij iedere serieuze poging. Als hij wordt geprezen, zal hij zin houden om door te gaan.

> 'Hij probeert te grijpen! Hij zwiept met zijn hand in de richting van de rammelaar. Of slaat ertegenaan. Even later probeert hij met een echte grijpbeweging de rammelaar te pakken. Doet een prima poging. Denkt dat hij er is en sluit zijn hand. Maar de rammelaar is net een paar centimeter verder. Hij ziet zijn misser, wordt nijdig en begint te huilen.' (Paul, week 11)

Houd er altijd rekening mee dat baby's op deze leeftijd nog niet naar iets kunnen reiken om het te pakken. Ze kunnen alleen nog maar hun hand ergens omheen klemmen. Dat wil dus zeggen dat het speeltje moet komen 'aangewaaid'. Plaats of hang het daarom altijd binnen handbereik. Dan krijgt hij alle gelegenheid om het 'vastpakken' te oefenen.

Laat je baby merken dat zijn stem belangrijk is

Zijn nieuwste geluidjes vindt je baby het interessantst. Reageer daarom altijd prompt op zijn nieuwe geluidjes. Laat hem horen hoe ze klinken als een ander ze maakt.
Reageer als hij je aandacht trekt met die geluidjes. Trek zijn aandacht met jouw stem. Het leert hem dat zijn stem belangrijk is. Dat hij hem kan gebruiken, net als zijn handen.

> 'Ze ligt de hele dag te kletsen en aandacht te vragen. Luistert ook naar mijn stem. Heel leuk.' (Odine, week 11)

Lok je baby uit om te kletsen

De baby uitlokken om te gaan kletsen is iets wat iedere moeder wel doet. Maar de ene doet het automatisch de hele dag door, zolang de baby wakker is. De andere gaat er even voor zitten. Het nadeel is dan vaak dat de baby er niet voor in de stemming is. Hij lijkt minder te snappen wat de bedoeling is. En moeder knapt eerder af, want: 'Hij reageert nog niet.'

Een optrekspelletje kán leuk zijn voor de allersterksten

De meeste baby's vinden het heerlijk om zichzelf te laten optrekken van half-zit tot zit. Of van zit tot staan. De sterken onder hen werken zélf al mee. Met dit spelletje leren ze verschillende lichaamshoudingen aanvoelen en beheersen. Als ze zelf meewerken, schieten ze nogal schokkerig van de ene houding in de andere. En als ze in de volgende houding zijn geschoten, blijven ze daar graag even in staan. De verandering van houding gaat dus nog niet soepel, maar ze vinden het heerlijk om die nieuwe houding even vast te houden. Sommige baby's kunnen echt boos worden als je er mee ophoudt.

'Ik vind dat hij ineens zo stoterig beweegt als hij gaat staan. Hij maakt ook steeds van die spastische bewegingen als hij uitgekleed op de commode ligt. Ik vraag me af of dat wel normaal is.' (Rudolf, week 11)

'Ze wil de hele dag gaan staan en dan voortdurend geprezen worden als ze staat. Mekkert als het compliment niet komt.' (Ashley, week 10)

Dat baby's dit spelletje leuk vinden, wordt meestal het eerst ontdekt door vaders. Moeders gaan het dan ook spelen. Ze doen dat met iets meer enthousiasme bij jongetjes dan bij meisjes.

Een veeleisende baby kan hoogbegaafd zijn

Sommige baby's hebben iets nieuws snel door en raken uitgekeken op het dagelijkse gedoe. Ze willen verder, ze willen actie. Ze willen de spelletjes ingewikkelder en ze willen voortdurend variatie. Een moeder van zo'n 'wervelwind' of 'sneltrein' raakt totaal uitgeput. Ze weet op het laatst niet meer wat ze nog kan doen. En de baby zet een keel op, als hij niet het ene nieuwe na het andere krijgt aangeboden.

LEUK OM TE WETEN

- Dat je baby leergieriger is als zijn ontwikkeling een sprongetje maakt. Dat hij dan ook sneller, fijner en makkelijker leert, mits je op zijn interesses en wensen inspeelt.
- Dat een huilbaby (of veeleisende baby) automatisch meer aandacht krijgt, omdat hij zoveel huilt. Als moeder moet je immers steeds het onderste uit de kan halen om hem tevreden te krijgen en te houden. De baby helpt je daarbij een handje.
- Dat een huilbaby (of veeleisende baby) later meer kans heeft om bij de intelligentere leerlingen te horen. Tenminste als je goed op hem inspeelt in de babytijd. Met name door hem te helpen bij het leren, als zijn ontwikkeling een sprongetje maakt.
- Dat een makkelijke baby zichzelf ook makkelijk laat vergeten, omdat hij je minder uitlokt om iets met hem te doen. Stimuleer hem dus wat extra.

Het blijkt dat hoogbegaafde kinderen als baby vaak huilerig en veeleisend zijn geweest. Zolang zij interessante dingen meemaken of nieuwe vaardigheden kunnen leren is alles goed. Een nieuw vermogen geeft hun de kans nieuwe dingen te leren. Ze doen dat met veel enthousiasme en 'vragen' ook steeds aandacht en hulp bij het leren. Hun honger naar nieuw leren is niet te stillen. 'Helaas' gaan ze razendsnel door een sprongetje heen. Zij proberen en leren bijna alles wat de winkel te bieden heeft, variëren ermee en vervelen zich dan weer. Je kunt als moeder weinig anders doen dan wachten op het volgende sprongetje.

Alléén spelen hoort er ook bij

Bijna alle moeders vinden dat de baby nu in staat moet zijn zichzelf even te vermaken. Hij is immers geïnteresseerd in zijn handen en voeten, zijn speeltjes en de wereld om hem heen. Ook ligt hij graag languit op de grond. Veel moeders gaan de box voor het eerst gebruiken. Ze doen dat ook, omdat ze hierin de speeltjes zowat tegen zijn handen kunnen hangen. De baby kan er dus naar hartelust tegenaan zwiepen en er naar kijken. Tegelijkertijd proberen ze de 'alleen-speeltijd' zo lang mogelijk te rekken. Daarom houden ze de baby goed in de gaten. En zodra ze denken dat het enthousiasme minder dreigt te worden, dragen ze nieuwe speeltjes aan. De meeste baby's houden dit met moeders hulp ongeveer 15 minuten uit.

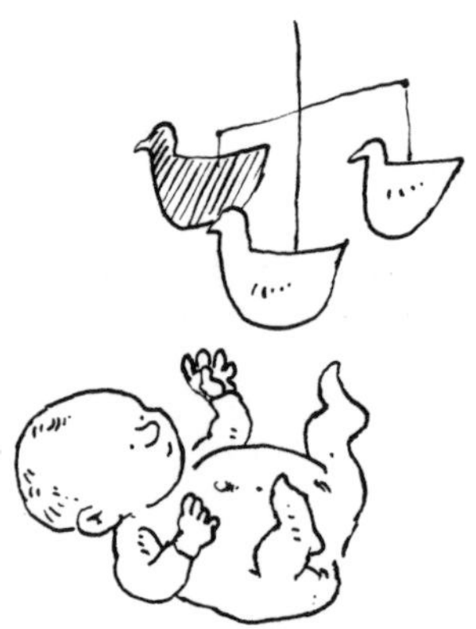

'Ik leg hem nu na iedere voeding even in de box. De ene keer onder een bewegende muziekmobile waar hij dan naar kijkt. De andere keer onder een trapeze met speeltjes waar hij soms tegenaan zwiept. Dat gaat al heel aardig.' (Dirk, week 11)

SPELTOPPERS VAN 'PATRONEN'
Dit zijn spelletjes en oefeningen die inspelen op het nieuwe vermogen en die bij bijna alle 9 tot 12 weken oude baby's favoriet zijn.

Zijn handen, voeten en knieën boeien hem
Geef hem zoveel mogelijk gelegenheid ze te bestuderen. Om zich goed te kunnen bewegen en alles goed te kunnen zien, heeft de baby ruimte nodig. Die kan hij het beste krijgen op een groot badlaken of op een plaid. Als het lekker warm is, laat hem dan eens bloot spelen. Dat vindt hij het allerfijnst. Als je zijn aandacht op zijn hand of voet wilt vestigen, kun je er een kleurig bandje omheen binden. Hierin kun je dan ook nog een belletje verwerken.

Gesprekjes onder vier ogen
Ga er gemakkelijk voor zitten. Zorg voor een steuntje in de rug. Trek je knieën op en leg de baby op je dijen. In deze houding kan hij je goed aankijken. Tegelijkertijd kun je zelf ál zijn reacties goed zien. Je kunt vertellen over de dingen van de dag. Of wat je straks gaat doen. Wie er komt. Het doet er niet toe wat. Het belangrijkste is het ritme van je stem en je mimiek. Let op de reacties van de baby. Hieruit kun je opmaken wat hem het meest boeit. Bedenk dat een pratende mond mét een gezicht, dat verschillende uitdrukkingen in elkaar laat overgaan, meestal een knaller is! Stop wanneer de baby aangeeft dat hij er genoeg van krijgt.

Samen dingen bekijken
Een baby van deze leeftijd is nog niet echt in staat zelf dingen te pakken en ze te bekijken. Hij begint dat pás te leren. Bekijk daarom samen al datgene wat hem boeit. Van het luisteren naar je stem geniet hij en hij leert er veel van. Laat je ondertussen steeds leiden door zijn reacties.

Optrekspelletje
Dit mag je alleen doen, als de baby zelf zijn hoofd kan optillen. Ga er gemakkelijk voor zitten. Zorg voor een steuntje in de rug. Trek je knieën op en leg de baby op je dijen. Hij zit dan al iets in half-zit. Dat is fijner voor hem. Pak nu zijn armen vast en trek hem langzaam tot zithouding. Moedig hem ondertussen aan om mee te werken. En prijs hem. Let op de reacties van de baby. Ga alleen door, als je merkt dat hij echt meewerkt en als hij toont dat hij het leuk vindt.

Samen in bad gaan
Hij geniet vooral van het kijken naar het water als het beweegt. En hij geniet van de golfjes als die over zijn lichaam rollen. Leg de baby op je buik en wijs hem op de waterdruppeltjes en straaltjes die eraf lopen. Of leg hem met zijn rug op je buik en doe samen 'schuitje varen, theetje drinken'. Ga daarbij langzaam op de maat van het liedje heen en weer en maak kleine golfjes.

Bedenk: De baby vindt alles wat beweegt leuk om te zien, te horen, te voelen en om zelf te doen.

SPEELGOED DAT HET MEEST BOEIT
Dit zijn speeltjes en dingen die inspelen op het nieuwe vermogen en die bij bijna alle 9 tot 12 weken oude baby's favoriet zijn.

- Om naar te kijken: speeltjes die boven zijn hoofd bungelen.
- Om naar te kijken: een mobile, maar dan moet die wel bewegen.
- Om naar te kijken en te luisteren: een muziekdoosje dat speelt.
- Om naar te kijken en te luisteren: een mobile als die beweegt en geluidjes maakt.
- Om te betasten en te grijpen: speeltjes waar hij tegen kan zwiepen of die hij kan aanraken.
- Om tegen te praten en te lachen: een knuffel.

Realiseer je wel: moeder is nog steeds het mooiste speelgoed!

De sprong is genomen

Met 10 weken breekt weer een makkelijke periode aan. En opeens zijn bijna alle moeders hun zorgen van de afgelopen tijd weer vergeten. Ze verheerlijken de baby. Ze vinden dat hij het geweldig doet en zeggen nu dat het hun eigenlijk opvalt hoe 'makkelijk en vrolijk' hij altijd is!
Wat valt op? Rond 10 weken vraagt de baby niet meer dag en nacht moeders aandacht. Hij is zelfstandiger. Zijn belangstelling gaat uit naar zijn omgeving. Naar mensen, dieren en dingen. Het valt op dat hij ineens veel meer dingen weet en herkent. De baby zelf laat nu ook merken dat hij niet meer de hele tijd op schoot wenst te liggen. Daar is hij woelig, onrustig en probeert hij steeds te gaan zitten. Hij wil alleen nog maar bij moeder zijn, als ze hem dingen laat zien die hij leuk vindt.
De meeste baby's zijn zo vrolijk en lekker bezig, dat alles veel makkelijker is voor moeder. Ze voelt zich energieker. Veel moeders gebruiken de box heel regelmatig. Ze vinden dat hun kind er nu in pást.

'Ze komt ineens een stuk "wijzer" over. Het prille is eraf. Andere mensen valt het ook op. Iedereen praat nu echt tegen haar, in plaats van gekke geluiden te maken.' (Xara, week 10)

'Ze doet "wijzer" aan. Is vriendelijker, vrolijker en schatert zelfs af en toe. De huilproblemen zijn dus over. Dit is een hele verandering van "niet-weten-wat-te-doen" tot "genieten". Haar vader kijkt er nu naar uit haar 's avonds te zien. Tot nu toe kwam hij met lood in de schoenen ("wat zal 't vanavond weer zijn") thuis. Nu geniet hij van haar, voedt haar en doet haar 's avonds in bad.' (Jetteke, week 10)

'Het kwetsbare is eraf. Ik zie een verandering van op schoot naar een stukje zelfstandigheid en spelen.' (Steven, week 10)

'Ze wordt nu al echt een klein mensje dat leeft, vind ik. Voorheen sliep en at ze natuurlijk alleen maar. Nu rekt ze zich al uit als ik haar uit bed haal. Net als een groot mens.' (Nina, week 10)

'Ik weet niet of het een parallel is, maar ik vind het toch wel frappant. Ik voel me de laatste week veel energieker. Ongeveer tegelijkertijd begint de baby ook met zijn stukje zelfstandigheid. Ik vind het trouwens ontzettend leuk om die zelfstandigheid te zien ontwaken. Dat lachen, genieten, spelen. Er is nu meer communicatie tussen ons. Ik kan mijn fantasie laten gaan met de speelgoedbeestjes, en liedjes of spelletjes bedenken. Hij voelt meer als een kameraadje, omdat hij begint te reageren. Ik vind dat makkelijker dan toen er alleen maar eten, huilen, wiegen en slapen was, zoals in het begin.' (Bob, week 10)

foto

Na de sprong

Leeftijd : ....

Wat opvalt : ....

Lief en leed rond 12 weken

Rond 12 weken kondigt het volgende sprongetje zich aan. Soms al rond 11. Je baby krijgt een nieuw vermogen. Met dit vermogen kan hij totaal nieuwe dingen leren. Dingen die hij voor deze leeftijd nog niet kon leren. De baby voelt dat er iets met hem gebeurt. Hij merkt dat hij zijn wereld anders beleeft. Dat hij dingen ziet, hoort, ruikt, proeft en voelt die totaal nieuw zijn.
Hij merkt ook dat het bekende van zijn oude wereld er niet meer is. Hij raakt van slag. Je zou kunnen zeggen dat de vaste grond onder zijn voeten wordt weggeslagen. Je baby moet die ervaring rustig verwerken en hij kent een vertrouwde, veilige plek om dat te kunnen. Hij wil terug naar zijn basis, terug naar mama. Vanuit die vertrouwde veiligheid kan hij in zijn 'nieuwe' wereld thuis raken. De hangerige periode duurt iets korter dan de vorige. Sommige baby's herstellen zich na één dag, andere zijn een week lang hangerig.

OM TE ONTHOUDEN
Als jouw baby 'hangerig' is, let dan alvast op nieuwe vaardigheden of pogingen daartoe.

De sprong kondigt zich aan: terug naar mama

Alle baby's huilen vaker en langer. De ene natuurlijk weer meer dan de andere. Sommige zijn ontroostbaar. Andere zijn zeurderig, chagrijnig, humeurig of lusteloos. De ene is vaker 's nachts lastig. De andere is vooral overdag uit zijn doen. Alle baby's huilen minder als ze rondgesjouwd worden, als er met ze wordt rondgedanst of als ze aandacht krijgen. Maar toch merk je ook dan dat ze niet helemaal zichzelf zijn en om het minste of geringste weer zeuren of huilen.

Hoe merk je dat je baby 'bij mama wil blijven'?

Vraagt je baby meer aandacht?
Het valt op dat de baby zichzelf niet meer zo goed bezig kan houden. Hij wil aandacht. Moeder moet bij hem blijven zitten, liefst naar hem kijken en met hem praten. Zoiets valt vooral op als je baby na het vorige sprongetje juist wat 'zelfstandiger' was. Nu lijkt dat dan een 'achteruitgang'.

> 'Hij was ontzettend aanhankelijk. Hij was alleen tevreden als hij boven, over mijn schouder hing. En het liefst wilde hij er nog een dansje bij.' (Bob, week 12)

Is hij eenkennig?
Een op de drie baby's is eenkennig. Hij is opvallend hangerig als er bezoek is. Hij begint te huilen als een 'vreemde' tegen hem praat of naar hem kijkt. Soms wil zo'n kleintje absoluut niet bij het bezoek op schoot. Maar als hij veilig bij moeder zit, wil hij nog wel eens lachen. Een andere baby duikt ook dan nog tegen moeders schouder weg. Net of hij verlegen is.

Klampt hij zich wat steviger aan je vast?
Sommige baby's grijpen moeder stevig vast als ze rondgedragen worden. Alsof ze bang zijn losgelaten te worden. Ze kunnen echt flink knijpen.

Eet hij slechter?
Veel baby's eten 'slechter'. Borstbaby's, die zelf bepalen wanneer ze willen drinken, willen dat 'de hele dag'. Toch drinken ze niet. Flessebaby's doen er langer over om de fles leeg te drinken, tenminste als dat lukt. Dat komt omdat al deze baby's geregeld liggen te knabbelen aan speen of tepel, zonder te drinken. Ze gebruiken nu de speen of tepel ook als troostbron. Ze willen er zo lang mogelijk aan liggen. Meestal doezelen ze langzaam in slaap.
Andere baby's grijpen moeder vast tijdens het voeden. Of leggen hun hand in moeders bloes. Ook als ze uit de fles drinken. Alsof ze bang zijn dat de borst of fles weggaat.

> 'Tijdens het voeden stopt ze haar handje in mijn bloes. We noemen het "boezemen".' (Xara, week 12)

Slaapt hij slechter?
Veel baby's slapen slecht. Ze worden 's nachts weer wakker en willen gevoed worden. Soms wel drie keer. Ook overdag willen sommigen niet naar bed. Of ze worden snel weer wakker. Bij veel baby's is het normale dagritme veranderd in één chaos. Geen slaap- of voedingstijd ligt meer vast.

Zuigt hij vaker op zijn duim?
Enkele baby's zuigen vaker en langer op hun duim. Volgens moeder gebruiken ze de duim als troost. Ze duimen in plaats van te gaan huilen.

Maakt hij minder geluidjes, beweegt hij minder?
Sommige baby's maken minder geluidjes. Ze zijn tijdelijk wat stiller. Ook kan de baby wat minder beweeglijk zijn en een tijdje heel stil liggen. Dat komt omdat straks nieuwe geluidjes en bewegingen de 'oude' gaan overnemen.

'Het liefst ligt ze in de draagzak tegen me aangeklemd. Stil en rustig. Ik heb het gevoel dat er dan weinig anders voor haar te doen is dan in slaap te vallen, zij het dan lekker tegen me aan. Maar ik zie haar eigenlijk toch liever lekker met iets bezig zijn.' (Nina, week 12)

BABY VAN SLAG: HOE TOONT HIJ DAT?

- Huilt vaker .... ☐
- Wil vaker beziggehouden worden .... ☐
- Eet slechter .... ☐
- Is (vaker) eenkennig .... ☐
- Klampt zich wat steviger aan je vast .... ☐
- Zoekt extra lichaamscontact tijdens het voeden .... ☐
- Slaapt slechter .... ☐
- Zuigt (vaker) op de duim .... ☐
- Is minder beweeglijk .... ☐
- Maakt minder geluidjes .... ☐
- Wat verder opvalt: ....
  ....

Zorgen[1] en irritaties

Moeder is bezorgd

Alle moeders zijn onmiddellijk bezorgd als hun opvalt dat de baby hangerig is, meer huilt, slechter slaapt, niet normaal eet, of 'achteruitgaat' in geluiden, bewegingen of zelfstandigheid. Ze verwachten eigenlijk vooruitgang te zien. En pauzes daarin, hoe kort ook, vinden ze 'akelig'. Ze zijn onzeker en vragen zich af of ze iets verkeerd doen. Of ze zijn bang dat er iets met de baby aan de hand is. Dat hij ziek is of 'niet normaal'. Maar dat is niet zo. Integendeel. De baby laat juist zien dat hij vooruitgaat, dat hij een volgend sprongetje maakt in zijn ontwikkeling. Maar hij laat ook zien dat dat niet zonder 'pijn' gaat. Als moeder kun je hem het beste steunen door hem te laten voelen dat je begrijpt dat hij het even moeilijk heeft.

'Als zij vaker huilt en rondgedragen wil worden, voel ik me "opgejaagd" en "tot-niets-meer-in-staat". Het maakt me onzeker en verlamt me compleet.' (Juliette, week 12)

'Ik ben aan 't zoeken wat de oorzaak is van haar huildagen. Ik wil weten wat haar dwarszit, zodat ik wat meer "rust" heb.' (Laura, week 12)

'Ik merk dat ik ontzettend slecht tegen z'n huilen kan. Ik kán het gewoon niet meer horen. Ik zou liever iedere nacht vier keer eruit moeten zonder gekrijs dan twee keer mét.' (Paul, week 11)

Moeder ergert zich

Veel moeders ergeren zich aan 'het ongeregelde' dat voortkomt uit steeds weer andere slaap- en voedingstijden. Niets kunnen ze 'plannen'. Steeds lopen alle plannen weer in de war. Vaak voelen ze zich onder druk staan

[1]Vraag bij twijfel altijd advies aan je huisarts of het consultatiebureau.

van de andere gezinsleden of van de omgeving. Ze staan tussen twee vuren. Voor hun gevoel willen ze zich op het kind richten, maar op de een of andere manier mág dat niet van anderen.

'Ik erger me als hij jengelt en zich niet even alleen kan vermaken. Hij wil voortdurend beziggehouden worden. Iedereen komt met adviezen, mijn man incluis.' (Rudolf, week 12)

'Ik merk dat ik dat ongeregelde beter kan hebben als ik me nergens op vastpin. Als ik alles "plan" en dat loopt fout, erger ik me. Ik stel me nu anders op en soms zijn er dan ineens gewoon een paar uur om zelf wat te doen.' (Laura, week 12)

Moeder ergert zich en vindt het 'welletjes'
Soms kan of wil een moeder haar boosheid niet meer onderdrukken en laat ze de baby ook merken dat ze er genoeg van heeft.

'Hij was zo onrustig. Ik dacht steeds aan de buren. Zondagmiddag stond het water tot aan mijn lippen. Niets hielp om het hem wat te veraangenamen. Ik voelde me eerst machteloos en toen werd ik ontzettend boos, omdat het me te veel werd, en heb hem in zijn kamer achtergelaten. Een flinke huilbui kalmeerde me weer wat.' (Bob, week 12)

'We hadden bezoek, hij was lastig en iedereen had goede adviezen. Ik word daar altijd superzenuwachtig van. Toen ik hem boven in bed wilde leggen, verloor ik mijn zelfbeheersing, greep hem flink vast en schudde hem door elkaar.' (Thijs, week 11)

Moeder staat ook onder spanning
Het is duidelijk dat niet alleen de baby onder spanning staat, als zijn ontwikkeling een sprongetje maakt. Maar ook zijn gezin, en vooral zijn moeder.

'Als zij even wat minder huilde, leek het alsof er een zware last van mijn schouders viel. Dan pas merkte ik hoe gespannen ik was.' (Xara, week 11)

Als moeder zich veel zorgen maakt over de baby en als de 'omgeving' haar niet steunt, kan zij in een uitputtingstoestand raken. Zeker als zij daarbij ook nog slaap te kort komt. Ze kan het niet meer aan. Lichamelijk niet, maar ook geestelijk niet. En met een véél aandacht eisende baby, die ook nog weinig slaapt, is die kans natuurlijk het grootst.
Als moeder zich uitgeput voelt en als er dan ook nog eens aan alle kanten aan haar getrokken wordt, kan ze de situatie vaak niet meer aan. Ze kan dan wel eens hardhandiger met de baby omgaan dan nodig is. Als moeders zeggen hun baby geslagen te hebben, is het bijna altijd in zo'n hangerige periode. En beslist niet omdat ze een hekel aan de baby hebben, maar gewoon omdat ze bang zijn voor het geluk van de baby en voor kritiek van anderen. Ze voelen zich alléén met die problemen.

'Sinds zijn collega's gezegd hebben dat zijn zoon een perfecte kopie van zijn vader is, vindt mijn man het prima dat ik alle aandacht op de baby richt als hij huilt. Hij zou níets anders meer willen nu. Hiervóór vond hij dat overdreven verwennerij. Nu gaat alles zoveel fijner. Ik ben minder gespannen als ik de baby troost en dat voelt hij aan. Alles loopt een stuk gesmeerder.' (Thijs, week 12)

Door zijn hangerigheid ontdek je dat je baby méér kan

Als de baby van slag is, houdt moeder hem extra in de gaten. Ze wil weten wat er aan de hand is. Als ze dat doet, ontdekt ze dat hij eigenlijk nieuwe dingen doet, of probeert te doen. In feite ontdekt ze de allereerste vaardigheden, die het gevolg zijn van het nieuwe vermogen dat de baby heeft gekregen.
Rond twaalf weken krijgt iedere baby het vermogen tot het waarnemen en het zélf maken van 'vloeiende overgangen'. Je kunt dit vermogen vergelijken met een volgende winkel die wordt geopend en waarin een uitgebreide schakering aan 'vloeiende-overgangen-koopwaar' ligt. Jouw baby met zijn aanleg, voorkeur en temperament maakt zijn eigen keuze. En als volwassene kun je hem daarbij helpen.

De sprong: de 'winkel van de vloeiende overgangen'

Je baby kan nú voor het eerst 'vloeiende overgangen' zien, horen, ruiken, proeven en voelen. Bijvoorbeeld, de overgang van de ene toon naar de andere, of van de ene houding naar de andere. Met dit vermogen kan hij nu vloeiende overgangen waarnemen als ze door anderen worden gemaakt. Maar hij kan ze ook zélf leren maken. Hij kan dat met zijn lijfje, zijn hoofd, zijn stembanden, zijn ogen, en ga zo maar door. Hij neemt ze dus waar búiten zijn lichaam en ín zijn lichaam. Je kunt je voorstellen dat hij weer heel veel nieuwe dingen kan leren en 'oude' vaardigheden kan verbeteren.
De baby leert, bijvoorbeeld, om vloeiend van de ene houding naar de andere te gaan. Hij kan nu voelen hoe zijn arm geleidelijk naar een speeltje kan gaan. Hoe hij geleidelijk zijn benen kan strekken en buigen, om te gaan staan en zitten. Het zal je opvallen dat de bewegingen van je baby niet langer meer houterig of schokkerig van kwaliteit zijn, zoals na het vorige sprongetje. Maar dat hij nu veel 'gecontroleerder', 'volwassener' en 'bewuster' beweegt. En dat komt door die rustige, geleidelijke, vloeiende overgang van de ene houding naar de andere.

Je kunt nu ook zien dat de baby een fijne controle over zijn hoofdbewegingen krijgt. Hij kan zijn hoofd heel vloeiend van de ene naar de andere kant draaien. Hij kan dat langzaam of snel. Hij kan alles volgen op een 'volwassen' manier. Het kijken in de richting van een geluid, dat tussen één en twee maanden verdween, komt weer terug. Maar dat reageren op een geluid gebeurt nu sneller en soepeler.
Verder kan de baby nu 'bewust' en vloeiend vast voedsel leren slikken. Hij verbetert hiermee zijn 'houterige' slikpogingen, die hij na het vorige sprongetje voor het eerst kon maken. En dat is maar goed ook. 'Houterig' slikken blijft natuurlijk gevaarlijk. Als hij niet zou leren om vloeiend te slikken, zou hij stikken in vast voedsel.

De baby kan nu ook vloeiende overgangen van de ene geluidstoon naar de andere horen. En hij kan ze zelf gaan maken. Hij doet dat in de vorm van kraaien en gillen. Verder kan hij voor het eerst overgangen van harde naar zachte geluiden horen en er met zijn stem mee spelen.
De baby kan nu ook veel beter zien, bijna zoals een volwassene. Hij kan met zijn ogen rustig en beheerst iets volgen. Hij kan dat zelfs zonder zijn hoofd te draaien. Ook kan hij iets of iemand volgen die komt of wegloopt. Kortom, hij kan nu een hele kamer overzien.
Na dit sprongetje kan de baby slechts één vloeiende overgang waarnemen of maken. Zoals een simpele beweging in één bepaalde richting. Als hij een nieuwe wil maken, moet hij even een pauze inlassen voor hij kan beginnen. Dat de ene beweging in een andere kan overgaan, kan hij nog niet begrijpen. Dat gebeurt pas bij het volgende sprongetje.

WAT HEEFT DE 'WINKEL VAN DE VLOEIENDE OVERGANGEN' IN DE AANBIEDING?

De afdeling 'zelf doen':

- Het hoofd hoeft amper nog gesteund te worden ☐
- Draait het hoofd onmiddellijk en vloeiend van de ene naar de andere kant als hij iets wil zien, of horen ☐
- Kan soepel met zijn ogen een bewegend speeltje volgen ☐
- Is drukker, actiever, spartelt en draait alle kanten op ☐
- Heft zijn billen op bij het luiers verwisselen (als spel) ☐
- Rolt zichzelf van buik op rug of van rug op buik met behulp van je vingers ☐
- Pakt zijn teentjes in zijn mond en draait om zijn as ☐
- Gaat zelf zonder hulp rechtop zitten, als hij schuin tegen je aanzit ☐
- Trekt zichzelf op tot zit met behulp van twee van je vingers ☐
- Zet zich geleidelijk af met zijn voetjes tot staan als hij op schoot zit, met behulp van twee van je vingers ☐
- Zet zich af met twee voetjes als hij in de wipstoel zit of in de box ligt ☐
- Wat verder opvalt: ....
  ....

De afdeling 'pakken, tasten en voelen':

- Pakt en houdt vast met twee handen ☐
- Pakt gericht, bewust, met twee handen zelf een speeltje ☐
- Pakt gericht, bewust, met twee handen een speeltje aan ☐
- Kan met een rammelaar schudden ☐
- Bestudeert en frunnikt aan jouw handen ☐
- Bestudeert en betast je gezicht, ogen, mond, haren ☐
- Bestudeert en frunnikt aan kleding ☐
- Stopt alles in de mond ☐
- Aait zichzelf over zijn hoofd van nek tot ogen ☐
- Aait zichzelf met een speeltje over zijn hoofd of wang ☐
- Wat verder opvalt: ....
  ....

De afdeling 'luisteren en praten':

- Ontdekt gillen of kraaien. Laat het aanzwellen van hard naar zacht. Of andersom. En/of van hoog naar laag. Of andersom .... ☐
- Geeft nieuwe geluidjes. Klinkerachtige geluidjes, zoals: ie, oe, eeh, ooh, aah ae hebbùùùù. De geluidjes klinken 'spraakachtiger' .... ☐
- Ligt of zit ergens en 'vertelt' met die nieuwe geluidjes hele verhalen .... ☐
- Ontdekt dat hij zelf bellen kan blazen. Vindt dat vaak leuk. Lacht er dan zelf om .... ☐
- Wat verder opvalt: ....

De afdeling 'kijken':

- Draait de handjes, bestudeert de boven- en onderkant .... ☐
- Bestudeert de bewegingen van zijn voeten .... ☐
- Bestudeert een gezicht, ogen, mond en haren .... ☐
- Bestudeert iemands kleding .... ☐
- Wat verder opvalt: ....

De afdeling 'diversen':

- Laat duidelijk merken dat hij iets leuk vindt door te blijven kijken, luisteren, grijpen of door iets te 'zeggen' en dan te wachten tot je ermee doorgaat .... ☐
- Kan zich duidelijk anders gedragen (anders kijken, anders glimlachen, anders 'praten', anders huilen, anders bewegen) bij verschillende mensen .... ☐
- Laat duidelijk merken dat hij verveeld wordt als hij steeds hetzelfde ziet, hoort, proeft, voelt of doet. Afwisseling wordt ineens belangrijk .... ☐
- Wat verder opvalt: ....

Bedenk steeds dat je baby nooit in één klap alle 'goederen' in deze winkel kan opkopen. Met twaalf weken krijgt hij voor het eerst toegang tot de winkel. Maar wannéér hij zich wát eigen maakt hangt af van de interesse van de baby en de gelegenheid die hij krijgt.

Wat kiest jouw baby uit de 'winkel van de vloeiende overgangen'?

Kijk goed naar je baby. Stel vast waar zijn belangstelling naar uitgaat. In het kader: 'Wat heeft de "winkel van de vloeiende overgangen" in de aanbieding?' is ruimte om aan te geven wat je baby kiest. Je kunt er zelf ook 'winkelen' om te zien of er dingen bij zijn die de baby leuk zou kunnen vinden, maar waar hij een handje bij geholpen moet worden.
Sommige kleintjes zijn extreem gevoelig voor de buitenwereld. Zij zijn duidelijk meer bezig met 'kijken', 'luisteren' en 'voelen' dan met zelf doen. Zo'n baby kan daarom wat later gaan grijpen. Maar hééft hij een speeltje eenmaal te pakken, dan zal hij het meteen ook bestuderen. Bij zo'n onder-

zoek zal hij het speeltje 'ronddraaien', ernaar kijken en luisteren, ermee over zijn wang aaien en het in zijn mond stoppen. Een lichamelijk actieve baby is het vaak alléén te doen om het grijpen. Daarna laat hij het meestal vallen.
Helaas worden ontwikkelingsvorderingen hoofdzakelijk bekeken aan de hand van grove motorische mijlpalen, zoals grijpen, rollen, kruipen, zitten, staan en lopen. In zo'n onderzoek zal de kijk-luister-en-voel-baby langzamer lijken. Maar eigenlijk is hij bezig met iets dat veel ingewikkelder is en waar hij veel meer van leert.

ZO ZIJN BABY'S
Alles wat nieuw is, vindt je baby het leukst. Reageer daarom altijd en vooral op nieuwe vaardigheden en interesses die je baby toont. Hij leert dan prettiger, makkelijker, sneller en meer.

De uitwerking van de sprong: Help je baby bij het leren

Hoe meer je baby zijn nieuwe vaardigheden oefent of ermee speelt, des te beter hij ze 'in de vingers krijgt'. Hij leert door iets nieuws honderd keer te herhalen. En hij vindt dat eigenlijk altijd leuk. Bijna alle moeders spelen daar ook automatisch op in. Ze vinden het heerlijk om al datgene wat de baby doet, spelenderwijs te oefenen. Natuurlijk zal de baby alléén ook wel oefenen. Maar je kunt je voorstellen dat hij moeders hulp eigenlijk niet kan missen. Zij is in staat om hem aan te moedigen dóór te gaan als het moeite kost. Zelf zou hij misschien het bijltje er eerder bij neergooien.
Maar moeders doen nog meer. Ze bouwen een nieuwe vaardigheid uit. Ze brengen er variaties op aan. Ze lokken de baby uit om het nog eens te proberen. En ze proberen uit of hij nog net een stapje verder kan gaan.
Het is begrijpelijk dat er een enorm verschil is tussen de spelletjes die de ene of andere moeder verzint om zo'n sprongetje uit te werken. Alle moeders zijn verschillend. De ene weet leukere of gevarieerdere spelletjes te bedenken dan de andere moeder. Ook kan het zijn dat de baby een echte doener is, terwijl zijn moeder veel meer zou kunnen bedenken met een gezellige kletser. Of andersom. Hoe dan ook, de baby kan elke hulp goed gebruiken.

HEBBEN JULLIE DAT OOK?
- Moeders zijn veel meer actief bezig met jongetjes dan met meisjes in die eerste levensmaanden. En dat komt waarschijnlijk omdat jongetjes meer huilen en slechter slapen dan meisjes.
- Moeders reageren veel vaker op de geluiden van meisjes dan ze doen op die van jongetjes. Ook praten ze meer tegen meisjes.

Moedig je baby aan zijn stem te gebruiken

Bijna iedere baby geniet van zijn nieuwste geluiden. Hij gilt, kraait en maakt klinkergeluidjes van hoog naar laag, zacht naar hard. Of andersom.

En hij blaast bellen. Zo oefent hij zijn stembanden, lippen-, tong- en gehemeltespieren. Hij doet dat regelmatig in zijn eentje, gewoon voor de lol. Het lijkt of hij hele verhalen vertelt. Dat komt omdat het zo 'spraakachtig' kan klinken, door al die op en neer gaande klinkertjes en gilletjes. Hij moet er soms zelf om lachen.

Beantwoord het gebrabbel van je baby. De meeste baby's vinden dat heerlijk. Moedig hem aan om nog meer geluidjes te maken. Vooral toelachen en meedoen zijn van groot belang om nog meer klanken te ontlokken. Het meeste succes heb je doorgaans wanneer je zijn nieuwste geluiden imiteert.

Voer een gesprek met je baby

De meeste baby's vinden het heerlijk om samen te 'praten'. Maar hij zal het meest voor een gesprek in de stemming zijn als hij zélf je aandacht trekt. Laat hem rustig uitpraten en val dan weer in. Je kunt gewoon tegen je baby praten, maar je kunt ook zijn geluidjes nadoen. Soms moeten baby's daar vreselijk om lachen.

> 'Ik praat altijd terug als hij geluidjes maakt en hij brabbelt ook weer terug, als hij in de stemming is. Soms versierd met een lach.' (Jan, week 13)

Het is erg belangrijk dat je veel met je baby praat. Stemmen op de radio, televisie of in de woonkamer kunnen een gesprek onder vier ogen niet vervangen. Want die stemmen reageren niet op wat de baby laat horen. En dat is het allerbelangrijkste. Je baby wordt geprikkeld om te 'praten' als er ook naar hem geluisterd wordt. En jouw enthousiasme is daarbij erg belangrijk.

Reageer als hij je 'vertelt' hoe hij zich voelt

Hij gebruikt een van zijn nieuwe geluiden als hij aandacht wil. Meestal is dat een speciaal 'aandacht'-gilletje. Reageer zo vaak als je kunt. Laat hem merken dat je snapt wat hij zeggen wil. Ook al heb je geen tijd om met hem te spelen. Hij leert dan in ieder geval dat hij zijn stem kan gebruiken als hij iets wil.

Hij gebruikt ook meestal een kreet als hij blij is. Maar dan is het duidelijk een 'vreugdekreet'. Hij laat hem horen als hij iets leuks ziet of hoort. De meeste moeders reageren automatisch op een vreugdekreet. En wel met een aanmoediging of een knuffel. Doe dat ook. Laat merken dat je hem begrijpt en het leuk vindt dat hij blij is. Hierdoor leert de baby dat hij iemand anders kan vertellen hoe hij zich voelt.

'Toen hij merkte dat ik hem wilde voeden, gilde hij van vreugde en greep mijn borst, terwijl mijn bloes nog maar half geopend was.' (Thijs, week 13)

ALS JE BABY LACHT, HEEFT HIJ HET PRIMA NAAR ZIJN ZIN
Als je baby lacht, betekent het dat je de juiste snaar bij hem hebt geraakt. Je hebt hem precies gestimuleerd zoals het voor hem het beste is. Niet te veel, want dan zou hij bang worden. En niet te weinig, want dan zou hij verveeld zijn.

Leer je baby grijpen

Probeer of je baby het speeltje, dat je hem voorhoudt, zelf aan kan pakken. Houd het recht voor hem. Je baby kan nog maar één makkelijke beweging in één richting maken. Let nu goed op wat hij doet.
Als hij het pas begint te leren, zal hij het waarschijnlijk als volgt doen:

'Hij begint nu echt naar iets uit te grijpen. Hij ging met twéé handen naar het speeltje dat voor hem bungelde toe. Naderde het met zijn rechterhand van rechts en met zijn linkerhand van links. En toen hij vlak voor het speeltje was, sloot hij zijn handen al. Hij had er dus niets tussen. Hij had er echt moeite voor gedaan en werd dan ook gepast nijdig toen hij met lege handen zat.' (Paul, week 12)

Moedig je baby steeds aan het nog eens te proberen. Of maak het makkelijker, zodat hij aan succes kan ruiken. Immers, op deze leeftijd kan een baby de afstand tussen zijn handjes en het speeltje dat hij pakken wil, nog niet goed schatten. Twee sprongetjes verder leert hij dat pas goed, tussen 23 en 26 weken.
Als het grijpen makkelijker gaat, krijgt de baby er vanzelf meer plezier in. Hij ontdekt dat hij alles kan voelen en aanraken. In dezelfde tijd leert hij ook om vloeiende draaibewegingen met zijn hoofd te maken. Hierdoor kan hij makkelijk overal naar kijken en iets uitzoeken om te pakken. Er ligt nu dus een hele wereld voor het grijpen en tasten. Terwijl de baby na de vorige sprong gemiddeld eenderde van de tijd bezig was met zijn handen, wordt dat rond 12 weken plotseling verhoogd tot bijna tweederde. Hierna neemt het percentage amper nog toe.

Leer je baby voelen

Als je merkt dat je baby graag met zijn handen over iets aait, speel dan daarop in. Neem hem mee door het huis en laat hem verschillende soorten dingen voelen. Harde, zachte, ruwe, gladde, soepele, stijve, prikkelende, koude, warme materialen, en ga zo maar door. Vertel hem wat hij voelt en leg de emotie, die dat materiaal oproept, in je stem. Hij snapt heus meer dan hij je kan vertellen.

'Ik heb haar handjes onder stromend water gewassen, waarop ze hard lachte. Ze kon er geen genoeg van krijgen.' (Jetteke, week 15)

Geef hem de gelegenheid om mama te onderzoeken

Veel baby's onderzoeken graag moeders gezicht. Ze voelen er overheen. Blijven wat langer hangen bij de ogen, de neus en de mond. Soms trekt er een aan de haren of neus, gewoon omdat dat iets is wat vast te pakken is. Ook de kleding is interessant. Ze voelen en frunniken er aan.

Sommige baby's zijn geïnteresseerd in moeders handen. Ze bestuderen ze en voelen eraan. Ga hier op in en help hem daarbij. Draai je handen eens langzaam rond en laat je baby de boven- en onderkant zien. Laat hem kijken hoe je hand beweegt. Hoe je er een speeltje mee pakt. Beweeg altijd langzaam. Hij kan het anders nog niet volgen. Beweeg ook niet van links naar rechts, maar maak één simpele, rechte beweging. Pas na het volgende sprongetje kan hij meerdere bewegingen na elkaar begrijpen.

Laat je baby ook eens bloot spartelen

Baby's zijn nu beweeglijker dan ze waren. Ze kijken naar alles wat ze zien of horen en willen alles voelen en pakken. Om erbij te kunnen, liggen ze te schoppen met de benen en te slaan met de armen. Of ze steken hun tenen in de mond en draaien zo rondom hun as. Natuurlijk is de ene baby weer veel beweeglijker en sterker dan de andere. Sommigen zijn nauwelijks geïnteresseerd in gymnastische 'krachttoeren'. Anderen wél, maar blijken toch niet sterk genoeg.

> 'Hij beweegt druk met zijn lichaam, armen en benen en kreunt en steunt daar geweldig bij. Hij wil beslist iets wat niet lukt, want hij eindigt zo'n scène meestal met een nijdig geschreeuw.' (Dirk, week 14)

Laat je baby ook eens bloot spartelen. Je hebt misschien al gemerkt dat hij veel beweeglijker wordt, als je met hem bezig bent op de commode. Hij vindt het fijn om te bewegen, zonder dat hij belemmerd wordt door zijn kleren. Het is makkelijker. Hij kan dan eerder aan succes ruiken, oefent alvast en zal het daarna ook sneller kunnen met zijn kleren aan. Kortom, hij leert zijn lichaam beter kennen en beheersen.

Iets afleren is nu minder belangrijk

Af en toe proberen moeders wel eens om het 'alleen spelen' te rekken. Ze doen dat door nieuwe speeltjes voor te houden, of door speeltjes even te laten bewegen of piepen, als ze merken dat het enthousiasme minder wordt. Ze doen dat ook door te praten of terug te praten. Heel soms kan een baby zichzelf, met moeders hulp, een half uurtje vermaken.
De meeste moeders vinden dat 'alleen spelen' nu minder belangrijk. Ze zijn trots op de baby. Hij probeert zoveel te zien, te horen en te doen. Moeders willen daarbij zijn. Ze willen hem helpen. Er is zoveel nieuws te leren en te oefenen. En dat vinden moeders nu even veel belangrijker.

Leer je baby om te rollen

Veel baby's proberen te rollen. Maar bijna allemaal hebben ze hier hulp voor nodig. Als je merkt dat je baby wil rollen, geef hem dan je vinger als steuntje. Sommige baby's zijn echte volhouders. Ze gaan door tot ze inderdaad rollen. Anderen gaan ook door, maar blijven 'falen'. Er zijn baby's die beginnen te rollen van buik naar rug, en andere baby's doen dat van rug naar buik.

Laat je baby zichzelf optrekken tot staan of tot zit

Bijna alle baby's zetten zich graag af met de beentjes. Ze doen dat in de box, in de wipstoel en op schoot. Moeder moet een sterke woelwater dan ook goed vasthouden en merkt dan dat hij zich zó krachtig afzet, dat hij zelf gaat staan. Als hij dat uit zichzelf doet, laat hem dan rustig zijn gang gaan. Forceer nooit iets.
Sterke baby's trekken zichzelf op tot zit. Als je merkt dat je baby dat kan, kun je hem helpen door dit optrekspelletje met hem te spelen.

SPELTOPPERS VAN 'VLOEIENDE OVERGANGEN'

Dit zijn spelletjes en oefeningen die inspelen op het nieuwe vermogen en die bij bijna alle 12-15 (plus of minus 1) weken oude baby's favoriet zijn. Op deze leeftijd heeft je baby de meeste lol als hij door moeder 'bewogen' wordt: langzaam, rustig en vloeiend. Alle spelletjes moeten trouwens heel kort duren. Je kunt beter steeds een ander spelletje spelen, dan te lang doorgaan met hetzelfde.

'Vliegtuigje' spelen

Til de baby langzaam omhoog, liefst met een aanzwellend of hoger wordend geluid. Hij strekt zich dan vanzelf. Laat hem vliegen tot boven je hoofd. En begin dan de daling, met een bijpassend geluid. Als hij bij je komt, ontvang je hem met een knuffel-hap in de nek. Je zult zien dat de baby dit snel weet en al met open mond nadert en terug hapt. Je zult ook ontdekken dat de baby zijn mond weer opent, als om te happen, als hij een herhaling wil van dit vliegen.

'Glijbaantje' spelen

Ga achteruit zitten en maak je zo stijf als een plank. Zet de baby zo hoog mogelijk op je neer en laat hem met een passend dalend geluid naar de grond glijden. Sommige baby's vinden dit ook het einde als ze samen met moeder in bad zitten en zo telkens het water in glijden.

Baby is de 'slinger van de klok'

Zet de baby op je knieën en zwaai hem langzaam van rechts naar links. Probeer allerlei geluiden uit die erbij passen. Zoals een hoge, snellere tik-tak, een lage, langzame bim-bam of doe de Westminster na en varieer van hoog naar laag en van snel naar langzaam. Net wat de baby op dat moment het leukst vindt. Houd hem goed vast en let er op dat hij zijn hoofd gemakkelijk met de beweging mee kan nemen.

Baby zit op een 'hobbelpaard'
Zet de baby op je knieën en maak stapbewegingen met je benen. De baby wiebelt dan op en neer. Je kunt ook nog een passend geluid verzinnen bij iedere stap die je maakt. Kijk wat je baby grappig vindt. Laat het paard ook eens in een drassige wei ploegen en zeg 'zjoeoeoem' bij iedere stap. De meeste baby's vinden dat op deze leeftijd het leukst.

'Hap-spelletje'
Ga voor hem zitten en, als de baby kijkt, ga dan langzaam met je gezicht naar zijn buik of neus. Maak ondertussen een langgerekt geluid dat aanzwelt of van toonhoogte verandert, bijvoorbeeld 'haaaaaap' of 'boeeeeem'. Denk aan de geluidjes die de baby zelf maakt.

'Voelen aan stofjes'
Vouw samen met de baby je was op en geef hem dan verschillende stofjes in handen. Zoals wol, katoen, badstof en nylon. Aai er ook eens met zijn handje overheen. De baby vindt het fijn om met zijn vingers en mond aan de stofjes te voelen. Probeer het ook eens met een stukje zeemleer en vilt.

De 'Mont Blanc' beklimmen
De baby loopt/klimt op je lijf naar boven, terwijl je half rechtop zit. Natuurlijk wordt hij goed vastgehouden.

Springen of wippen op schoot
De meeste baby's hebben veel lol in zélf eindeloos dezelfde bewegingen herhalen:
Hij gaat zelf van zit naar staan. In een vloeiende beweging. En hij herhaalt dit eindeloos: op-neer-op-neer-op-neer. Hij geniet er van en lacht vaak. Natuurlijk moet hij goed vastgehouden worden.

SPEELGOED EN HUISRAAD DAT HET MEEST BOEIT
Dit zijn speeltjes en dingen die inspelen op het nieuwe vermogen en die bij bijna alle 12-15 (plus of minus 1) weken oude baby's favoriet zijn:
- Tuimelspeeltjes.
- De bewegende klepel van de klok.
- De schommelstoel.
- Speeltjes met een langzame piep, of belletjes.
- De rammelaar.
- Poppen met een echt gezicht.

De sprong is genomen

Tussen 12-13 weken breekt weer een makkelijke periode aan. De meeste baby's worden geprezen om hun vrolijkheid en de geweldige manier waarop ze vooruitgaan.
Veel moeders vinden dat hun baby opvallend 'wijzer' is. Als hij op de arm of op schoot zit, reageert hij als een kleine 'volwassene'. Hij draait zijn hoofd meteen naar iets dat hij wil horen of zien. En lacht of 'praat' terug. Hij gaat er soms voor verzitten, als hij iets niet meteen goed ziet. Hij houdt alles in de gaten. Hij is vrolijk en bezig. Opeens houden ook de andere gezinsleden veel meer rekening met de baby. Hij heeft nu een echt plaatsje in het gezin. Hij hoort erbij.

'Ze begint zich in een heleboel dingen te interesseren. Dit laat zij ook meteen merken door er tegen te gaan praten of gillen. Daardoor worden wij dan weer opmerkzaam en denken: Verhip, kan jij dat al, of wat zie je dat goed.' (Jetteke, week 13)

'Ze is opvallend wijzer. Ze kijkt haar ogen uit. Ze vindt het fijn om op mijn arm mee rond te lopen, en onderwijl draait ze dan regelmatig haar hoofdje van links naar rechts.' (Odine, week 14)

'Ze is "wijzer". Ze reageert op alles en draait meteen haar hoofdje alle kanten op. Ze heeft ineens een eigen plaatsje in het gezin.' (Xara, week 14)

'Heerlijk om te zien hoe ze zich vermaakt. En al koesterend zit of ligt te kletsen tegen knuffels of mensen.' (Juliette, week 14)

'Het contact is leuker. Ze reageert op alles. Doe je een spelletje, dan zie je haar afwachten of je het nog een keer herhaalt. Ze "praat" nu ook vaak "terug".' (Ashley, week 13)

'Zij was zo makkelijk en rustig, alles was goed. Nu wordt ze steeds spraakzamer. Zij lacht en brabbelt nu veel vaker. Het wordt daarom veel leuker om haar uit bed te halen.' (Eefje, week 14)

'Het wordt boeiender om naar hem te kijken, omdat hij zich ineens duidelijker gaat ontwikkelen. Hij reageert nu meteen met een lachje of een geluidje. Draait ook meteen zijn hoofdje in de goede richting. En omdat het zo'n klein dikkerdje is, kun je heerlijk met hem knuffelen.' (Dirk, week 14)

foto

Na de sprong

Leeftijd : ....

Wat opvalt : ....

Lief en leed rond 19 weken

Rond 19 (18-20) weken merk je dat de ontwikkeling van je baby weer een sprongetje maakt. Je ontdekt dat hij dingen wil en doet, die hij nog nooit heeft gedaan. Dat komt omdat hij er een nieuw vermogen bij heeft gekregen, dat hem in staat stelt een uitgebreide schakering aan nieuwe vaardigheden te leren. Je baby voelt zo'n sprongetje echter al eerder aankomen.
Rond 15 (14-17) weken wordt hij hangerig. Hij voelt dan al dat zijn ontwikkeling weer een sprongetje maakt. Zijn wereld verandert en hij weet niet hoe hij daarmee om moet gaan. Hij ziet, hoort, ruikt, proeft en voelt weer dingen die helemaal nieuw zijn. Hij is van slag. Hij moet alles rustig tot zich laten doordringen. Hij moet alle nieuwe indrukken rustig verwerken en doet dat het liefst vanuit een vertrouwde, veilige plek. Hij wil dichter bij zijn moeder zijn. Hij wil terug naar mama.
Vanaf deze leeftijd duren de hangerige periodes langer dan voorheen. Deze keer duurt hij meestal vijf weken. Maar hij kan ook één of zes weken duren.

OM TE ONTHOUDEN
Als jouw baby 'hangerig' is, let dan alvast op nieuwe vaardigheden of pogingen daartoe.

De sprong kondigt zich aan: terug naar mama

Alle baby's van deze leeftijd huilen sneller dan ze normaal doen. Veel aandacht vragende baby's huilen aanmerkelijk vaker en harder en tonen op meerdere, niet mis te verstane manieren dat ze 'bij mama willen zijn'. Makkelijke baby's doen dat meestal veel milder én minder vaak. Alle baby's huilen minder als ze bij moeder zijn. Maar ze willen wel dat moeder alleen maar aandacht voor hén heeft. Ze willen rondgesjouwd en beziggehouden worden. Als dat niet gebeurt, blijven ze chagrijniger, ook al zitten ze bij moeder op schoot.

Hoe merk je dat je baby 'bij mama wil blijven'?

Slaapt hij slechter?
Bij de meeste baby's zijn de slaaptijden chaotisch. Hij gaat wat korter slapen. Is 's avonds langer wakker. Is ook 's nachts wakker. Wil weer nachtvoeding. Soms meerdere malen. En is 's morgens vroeger wakker.

Is hij eenkennig?
Veel baby's willen niet bij anderen op schoot. Sommige willen ook niet dat 'n 'vreemde' naar hen kijkt of tegen hen praat. Een enkeling lijkt ook bang van zijn eigen vader. Meestal is de eenkennigheid het duidelijkst als mensen er heel anders uitzien dan moeder.

'Als mijn zusje naar haar kijkt, gaat zij heel hard huilen. Ze verstopt zich dan tegen me aan en wil zelfs niet kijken. Ze is dan echt overstuur. Mijn zusje heeft donkere, zwart opgemaakte ogen en daardoor een harde blik. Ikzelf ben blond en nauwelijks opgemaakt. Misschien is dat de reden.' (Nina, week 16)

'Hij lacht niet meer tegen mensen die een bril dragen. Hij blijft ze ernstig aankijken en lacht pas als de bril wordt afgezet.' (Jan, week 16)

Vraagt hij meer aandacht?
Veel baby's willen samen met moeder iets doen. Al is het maar dat ze naar hem kijkt. Sommige baby's beginnen al te huilen zodra moeder wegloopt. Andere houden het 'alleen spelen' korter uit dan gewoonlijk.

'Tussen twee voedingen moet ik hem wat vaker aandacht geven. Hiervóór bleef hij rustig alleen liggen. Nu wil hij beziggehouden worden.' (Jan, week 17)

Moet je zijn hoofd weer wat vaker steunen?
Als moeder de baby draagt, moet zij weer vaker het hoofd en lijfje ondersteunen. Hij laat zich wat slapper hangen. Vooral rond huil-scènes. Dan hangt hij weer het liefst buikje tegen buik, omgeven door warme moederarmen. Hij voelt wat meer aan als de pasgeboren baby die hij was.

Wil hij niet dat je lichaamscontact verbreekt?
Veel baby's willen per se niet in de box worden gelegd. Sommige willen nog wel bij moeder in de wipstoel zitten, maar dan moet ze hem wel aanraken.

'Zij wil wat dichter bij me zijn dan ik van haar gewend ben. Als ik haar even loslaat, begint zij te huilen en zodra ik of haar vader haar oppak is het weer goed.' (Eefje, week 17)

Eet hij slechter?
Zowel borst- als flessebaby's kunnen tijdelijk minder trek hebben. Zij laten zich dan makkelijker afleiden als zij iets horen of zien. Of zij beginnen al snel met de tepel of speen te spelen. Af en toe willen zij helemáál niets drinken. Zij keren zich dan af van de borst of fles. Soms wil een baby wel fruit, en weigert hij alleen melk. Bijna alle moeders die borstvoeding geven, zien die weigering als een teken om over te gaan op ander voedsel. Ook krijgt moeder wel eens het gevoel dat de baby háár niet meer wil. Toch is dit niet zo. Hij is gewoon van slag. Het is misschien zelfs niet nodig om op te houden met de borstvoeding.

'Rond vijftien weken ging ze ineens minder drinken. Na vijf minuten begon ze met de tepel te spelen. Toen dat twee weken geduurd had, ging ik maar aanvullen met de fles. Maar dat weigerde ze ook. Alles bij elkaar heeft dit vier weken geduurd. Toen dronk ze weer volop. Al die weken was ik bang dat ze niet genoeg binnenkreeg. Vooral toen ik merkte dat míjn voeding minder werd. Maar nu ze weer volop drinkt, heb ik ook weer volop. Ik denk zelfs méér dan eerst.' (Odine, week 19)

Heeft hij een sterk wisselend humeur?
Sommige baby's hebben sterk wisselende stemmingen. De ene dag zijn zij heel vrolijk en de andere dag helemaal het tegenovergestelde. Ook kan hun stemming ineens omslaan. Het ene moment schateren ze nog van het lachen, om dan vervolgens in snikken uit te barsten. Soms gaan ze middenin een lach zelfs over in huilen. Moeders vinden zowel dat lachen als dat huilen dan dramatisch en overdreven klinken.

Is hij 'stiller'?
Sommige baby's houden een korte tijd op met het maken van de bekende geluidjes. Andere liggen af en toe beweginloos te staren of wat met de oortjes te spelen. Ze lijken dan 'futloos' of 'afwezig'. Moeders vinden het 'vreemd' en 'akelig'. Maar in feite is het 'de stilte voor de storm', ofwel het wachten op het doorbreken van het nieuwe vermogen.

BABY VAN SLAG: HOE TOONT HIJ DAT?

- Huilt vaker. Is vaker chagrijnig .... ☐
- Vraagt meer aandacht .... ☐
- Zijn hoofd moet vaker ondersteund worden .... ☐
- Wil niet dat je lichaamscontact verbreekt .... ☐
- Slaapt slechter .... ☐
- Eet slechter .... ☐
- Is (vaker) eenkennig .... ☐
- Maakt minder geluidjes .... ☐
- Is minder beweeglijk .... ☐
- Heeft een sterk wisselend humeur .... ☐
- Zoekt extra lichaamscontact tijdens het voeden .... ☐
- Zuigt (vaker) op de duim .... ☐
- Wat verder opvalt: ....
  ....

Zorgen[1] *en irritaties*

Moeder raakt uitgeput
Tijdens de hangerige periode klagen de meeste moeders steeds vaker over moeheid, hoofdpijn, misselijkheid, rugpijn of emotionele overgevoeligheid. Sommige hebben alles tegelijk. Ze zeggen dat het komt door gebrek aan slaap en het, soms urenlang, rondsjouwen met de baby. Of het piekeren over de baby. In ieder geval het 'bezig-zijn-met-de-baby'. Soms gaat

---

[1] Vraag bij twijfel altijd advies aan je huisarts of het consultatiebureau.

een moeder naar de huisarts en krijgt dan extra ijzer voorgeschreven. Of wordt wegens rugklachten doorverwezen naar een fysiotherapeut.

> 'Als ze een paar avonden achter elkaar wakker blijft en maar "gelopen" wil worden, kost me dat iedere keer mijn rug. Ik zou dan wel eens willen dat ze er een avondje niet was. Ik ben kapot.' (Xara, week 17)

Moeder ergert zich
Soms voelt moeder zich 'gevangen', 'opgesloten' aan het einde van zo'n moeilijke periode.
Ze heeft het gevoel dat de baby aan alle touwtjes trekt en ze ergert zich aan die 'hebzucht'. Je ziet dan ook regelmatig dat een moeder de baby even wégdenkt. Denkt hoe heerlijk het zou zijn als hij er eens een avondje níet zou zijn.

> 'Ik voel me in een bepaalde ontkenning zitten, meer onbewust dan bewust. Een ontkenning dat ik moeder ben en een zoontje heb. Ik had deze week momenten, dat ik hem het liefst zou vergeten. Wat zit een mens toch complex in elkaar. Af en toe had ik het ontzettend benauwd. Ben er dan ook geregeld uitgegaan.' (Bob, week 18)

> 'Als ik in de bus zit en hij begint wakker te worden en te huilen, dan kijkt iedereen naar me. Daar krijg ik het toch zo warm en benauwd van. Ik denk dan, verdorie hou toch je kop.' (Steven, week 18)

Moeder vindt het 'welletjes'
Steeds meer moeders laten de baby wat langer huilen dan ze gewend zijn. Enkelen vragen zich af wat eigenlijk 'verwennen' is. Of ze niet te veel toegeven aan zijn grillen. Of ze hem niet behoren te leren rekening te houden met zijn moeder.
Een enkeling voelt zich af en toe vreselijk agressief worden van het voortdurende gehuil en gejengel.

> 'Hij wilde niet doordrinken, kreeg verschrikkelijke huilbuien, en ik maar proberen of ik er iets in kreeg. Toen 't bij de volgende fles net zo ging, voelde ik me ontzettend agressief worden, omdat alle afleidingsmanoeuvres niet hielpen en we weer verzandden in hetzelfde tafereel als daarvoor. Ik heb hem toen op de grond laten uitrazen en daarna dronk hij de fles leeg.' (Bob, week 19)

> 'Ik kreeg er wel eens genoeg van na de zoveelste huilpartij als ik haar even alleen liet. Ik liep toen ook gewoon door.' (Ashley, week 17)

> 'De laatste vier avonden kwam hij klokslag 8 uur. Na twee avonden troosten vond ik het welletjes. Ik heb hem toen laten huilen tot half 11. Het is een echte volhouder.' (Rudolf, week 16)

De wachttijd is nu langer voor de nieuwe winkel opengaat

Omdat deze hangerige periode langer duurt, merken moeders meestal duidelijker dat er iets aan de hand is. De baby gaat minder snel vooruit. En wat hij normaal leuk vond, vindt hij niet leuk meer.

'Ik vind dat hij zo langzaam vooruitgaat. Vóór 15 weken ontwikkelde hij zich veel sneller. Het is net of er nu al een paar weken niets meer gebeurt. Ik vind dat soms best akelig.' (Thijs, week 17)

'Het lijkt wel of hij ligt te wachten op iets nieuws dat nog niet is doorgebroken. Ik merk 't aan het spelen met hem. Ik moet hieraan iets toevoegen en ik weet nog niet wat. Ik zit dus ook te wachten.' (Steven, week 17)

Het nieuwe vermogen breekt door

'Ze probeerde deze week heel veel nieuwe dingen. Het valt me op dat ze ineens zoveel kan voor haar vier maanden, en dan ben ik best trots op haar.' (Jetteke, week 18)

Rond 19 weken zie je bij iedere baby het vermogen tot het waarnemen en het zelf uitvoeren van zogenaamde 'gebeurtenissen' dóórbreken. Dit vermogen opent een nieuwe winkel met een uitgebreide schakering aan nieuwe vaardigheden. Je baby kan weer uitgebreid winkelen en die nieuwe vaardigheden kiezen die het beste bij hem passen. En jij ook.

De sprong: de 'winkel van de gebeurtenissen'

Na het vorige sprongetje ging je baby 'vloeiende overgangen' tussen 'patronen' zien, horen, ruiken, proeven en voelen. Hij ging ze ook zelf maken, met zijn ogen, armen, benen, hoofd en ga zo maar door. Maar na één 'vloeiende overgang' stopte hij. Méér kon hij nog niet vatten. Als je baby rond 19 weken het vermogen tot het waarnemen en zelf uitvoeren van 'gebeurtenissen' krijgt, kan hij een 'korte serie van deze vloeiende overgangen' zien, horen, ruiken, proeven, voelen en zelf maken. Dit vermogen doorstraalt alles wat je baby waarneemt en doet.
Als de baby een paar vloeiende bewegingen na elkaar kan maken, kan hij méér doen met alles wat hij te pakken krijgt. Hij kan nu alles wat binnen zijn bereik komt, uitgebreid onderzoeken. Hij kan dezelfde vloeiende beweging verschillende keren herhalen. Je ziet hem dan speeltjes van links naar rechts schudden en van boven naar beneden. Je ziet hem ergens herhaaldelijk op drukken/duwen, slaan en hameren. Maar met dit vermogen kan hij ook de ene vloeiende beweging in de andere laten overgaan en iets van de ene in de andere hand overpakken. Of iets pakken en meteen in zijn mond steken. Hij kan speeltjes ronddraaien en van alle kanten bekijken. Hij kan aan telefoonschijven draaien.
Hij kan nu leren om de bewegingen van zijn lijfje, bovenarm, onderarm, hand en vingers aan te passen aan de plaats waar het speeltje ligt. Hij kan dus de ene vloeiende beweging in de andere doen overgaan. Hij kan bijsturen, terwijl hij beweegt. Als het speeltje verder naar links ligt, gaat zijn arm vloeiend naar links. Ligt het iets meer naar rechts, dan past zijn arm zich onmiddellijk aan die andere plaats aan. Ditzelfde gebeurt ook als een speeltje dichtbij of verderaf ligt. Hoger of lager hangt. Hij ziet het, reikt er naar uit, grijpt het, haalt het naar hem toe. Alles in één vloeiende bewe-

ging. Als gevolg daarvan zou je kunnen zeggen dat hij nu 'echt' kan grijpen en pakken. Waar het ook ligt, hij kan zijn bewegingen nu zo aanpassen dat hij erbij kan. Zolang het binnen armbereik ligt, is hij niet langer afhankelijk van de plaats van het speeltje.

Als de baby met zijn lichaam een korte serie vloeiende bewegingen kan maken, kan hij daar ook meer capriolen mee uithalen. Hij kan zijn lichaam voortdurend in allerlei bochten wringen. Hij kan makkelijker omrollen of om zijn as draaien, want de ene beweging kan de andere corrigeren en opvangen. Ook kan hij zijn eerste kruipbewegingen gaan maken. Want hij kan nu achtereenvolgens zijn knieën optrekken, zich afzetten en zich uitstrekken.

Je baby kan nu een korte serie van vloeiende overgangen in klanken maken. Je zou kunnen zeggen dat hij even beweeglijk is geworden met zijn stem, als hij dat is met de rest van zijn lichaam. Zijn 'gekeuvel', waarmee hij na het vorige sprongetje begon, wordt uitgebreid met een afwisseling van medeklinkers en klinkers. En al deze klanken worden in 'zinnetjes' uitgesproken. Dit 'abba baba tata' noemen we 'brabbelen'.

Over de hele wereld gaan baby's op deze leeftijd met korte series opeenvolgingen aan de slag. Chinese, Franse of Nederlandse baby's 'brabbelen' allemaal met dezelfde klanken. De Chinese baby zal de Chinese brabbelwoorden uitwerken tot echte Chinese woorden en de Franse en Nederlandse brabbelwoorden 'vergeten'. De Franse en Nederlandse baby gaan vanuit dit gebrabbel Frans of Nederlands praten. Iedere baby imiteert steeds vaker de taal die hij om hem heen hoort gebruiken en waarvoor hij ook het meest geprezen wordt, als hij iets 'landseigens' produceert.

Kennelijk voelden alle voorvaders en -moeders zich op de ene of andere manier aangesproken als ze hun kleintje 'baba' of 'mummum' hoorden zeggen. Want in veel talen lijken woorden voor papa en mama erg op elkaar. De baby is echter heel technisch met series opeenvolgingen van hetzelfde element 'ba' of 'mum' aan het experimenteren. En natuurlijk wordt 'baba' bij ons papa en 'mummum' mama.

Je baby kan nu een korte serie van (patronen en/of vloeiende overgangen in) klanken horen. Hij wordt geboeid door een serie omhooggaande en dalende geluiden. Zo reageert hij nu op iedere stem, die goedkeuring laat blijken, en schrikt van een verbiedende stem. De taal waarin dat gebeurt, doet er niet toe. De baby kan dit, doordat hij de verschillen in op- en/of neergaande intonatie dan wel toonhoogte kan horen. Hij gaat nu ook een liedje herkennen. Baby's van negentien weken zijn zelfs al zover dat ze kunnen horen of een stukje muziek compleet of ongeschonden is. Ook al hebben ze dat stukje nog nooit gehoord. Bijvoorbeeld als ze een stukje uit een menuet van Mozart horen, reageren ze als dat stuk wordt onderbroken door onnatuurlijke pauzes. Baby's gaan nu ook de eerste woorden herkennen. Verder kunnen zij met dit vermogen een stem herkennen te midden van geroezemoes.

Je baby kan nu een korte serie van beelden (patronen en/of vloeiende overgangen) zien. Hij wordt, bijvoorbeeld, geboeid door de omhooggaande en dalende bewegingen van een stuiterende bal. Er zijn veel meer voorbeelden te bedenken, allemaal 'verpakt' in gewone, dagelijkse bezigheden. Zoals het op en neer schudden van zijn fles, het roeren in een pan, het hameren op een spijker, de deur die open- en dichtgaat, het hekje dat klappert in de wind, het snijden van brood, het vijlen van nagels, het borstelen van haren, de hond die kotsbewegingen maakt, iemand die op en neer loopt door de kamer en eindeloos veel meer.

Er is nog één typische eigenschap van 'gebeurtenissen', die vermeld moet worden. Wij, als volwassenen, ervaren een 'gebeurtenis' als één ondeelbaar geheel. Wij zien geen 'vallende-opspringende-vallende bal', maar een stuiterende bal. Als de 'gebeurtenis' nog maar net begonnen is, weten we al dat het een stuiterende bal is. En zolang die voortduurt, blijft het dezelfde 'gebeurtenis'. Een 'gebeurtenis' die we een naam kunnen geven. Het besef dat een gebeurtenis gaande is en het feit dat onze ervaring opgebouwd of opgebroken is in bekende 'gebeurtenissen', bewijzen dat hier een apart soort waarneming aan ten grondslag ligt. En het is dat speciale waarnemingsvermogen, dat je baby tot zijn beschikking krijgt rond negentien weken.

HERSENWERK
De hersengolven van je baby vertonen drastische veranderingen rond vier maanden.

Wat kiest jouw baby uit de 'winkel van de gebeurtenissen'?

Alle baby's hebben hetzelfde vermogen gekregen. De nieuwe winkel staat voor allemaal open. Er ligt een uitgebreide schakering van koopwaar. Jouw baby maakt zíjn keuze. Hij pakt dat wat het beste past bij zíjn aanleg, interesse, lichaamsbouw en gewicht. Je hebt baby's die zich specialiseren in voelen, in kijken of in gymnastische oefeningen. Je hebt er die van alles wat meepikken, maar er niet zo diep op ingaan. Iedere baby is uniek.

WAT HEEFT DE 'WINKEL VAN DE GEBEURTENISSEN' IN DE AANBIEDING?

De afdeling 'zelf doen':

- Ineens zeer actief. Zodra hij op de grond ligt, beweegt zo ongeveer alles aan hem .... ☐
- Rolt zelf om van buik naar rug .... ☐
- Rolt zelf om van rug naar buik .... ☐
- Kan in buikligging zijn armen helemaal strekken .... ☐
- Gaat met zijn billetjes de lucht in en wil zich afzetten. Lukt niet .... ☐
- Gaat op handen en voeten staan als hij op zijn buik ligt. Probeert dan verder te komen. Lukt niet .... ☐
- Wil gaan kruipen en schuift inderdaad naar voren of naar achteren .... ☐
- Steunt op zijn onderarmen en heft zijn bovenlijf hoog op .... ☐
- Gaat zélf rechtop zitten als hij schuin tegen je aan ligt .... ☐
- Wil rechtop zitten. Kan dat even. Steunt op onderarmpjes en brengt het hoofd naar voren .... ☐
- Zit stevig en rechtop in de kinderstoel met verkleinkussen .... ☐
- Is erg bezig met de bewegingen van de mond. Zuigt bijvoorbeeld de lipjes in allerlei bochten naar binnen, steekt zijn tong uit .... ☐
- Wat verder opvalt: ....

....

De afdeling 'grijpen, voelen en tasten':

- Grijpt nu niet meer mis als hij iets aanpakt ☐
- Pakt met iedere hand ook iets als hij er niet naar kijkt, maar als het hem aanraakt ☐
- Kan met één hand iets grijpen. Soms links, soms rechts ☐
- Pakt speeltjes over van de linker- naar de rechterhand. En andersom ☐
- Doet hetzelfde met een speeltje in de rechterhand als hij gedaan heeft met de linker-. En andersom ☐
- Stopt moeders hand in zijn mond ☐
- Voelt aan moeders mond als ze praat, of steekt zijn handjes erin ☐
- Stopt speeltjes of objecten in mond en voelt eraan ☐
- Stopt speeltjes of objecten in mond en bijt erop ☐
- Trekt zelf een doekje van zijn gezicht weg. Aanvankelijk gaat dat nog traag ☐
- Als een stukje van een speeltje bedekt is, weet hij toch welk speeltje het is. Probeert de obstakels weg te halen, maar geeft snel op als het niet lukt ☐
- Slaat met een speeltje op een tafelblad ☐
- Gooit speeltje expres op de grond ☐
- Probeert dingen te pakken die buiten zijn bereik liggen ☐
- Doet allerlei dingen met het 'activity center' ☐
- Hij weet wat hij met een bepaald speeltje 'behoort' te doen. Bijvoorbeeld draaien aan de telefoonschijf ☐
- Onderzoekt details. Heeft opvallend veel interesse in de kleinste kleinigheden van speeltjes, handen, monden enzovoort ☐
- Wat verder opvalt: ....

De afdeling 'kijken':

- Kijkt geboeid naar 'gebeurtenissen', zoals: het op en neer springen van een kind, hameren, nagels vijlen, brood snijden, haar borstelen, roeren in de koffie, enzovoort ☐
- Kijkt geboeid naar moeders lippen en tong als ze praat ☐
- Zoekt waar moeder is, kijkt ook om ☐
- Zoekt naar een speeltje dat buiten zijn gezichtsveld ligt ☐
- Reageert op zijn spiegelbeeld, lacht erom of is bang ☐
- Houdt een vouwboekje vast en kijkt geboeid naar een plaatje ☐
- Wat verder opvalt: ....

De afdeling 'luisteren':

- Luistert geboeid als moeder lipgeluiden maakt ☐
- Reageert op de eigen naam ☐

- Reageert op eigen naam, maar kan dat nu ook met andere geluiden in de kamer. Hij kan nu in die mengelmoes van geluiden één bepaald geluid eruit pikken .... ☐
- Begrijpt echt één of meer woorden. Bijvoorbeeld: kijkt naar het beertje als je vraagt: 'Waar is je beertje?' Het beertje moet nog op een vaste plaats zijn .... ☐
- Reageert correct op een goedkeurende of verbiedende stem .... ☐
- Herkent de openingsdeun van een liedje .... ☐
- Wat verder opvalt: ....

....

De afdeling 'praten':

- Maakt nieuwe klanken, waarbij hij zijn lippen en tong gebruikt: ffft-ffft-ffft, vvv-vvv, zzz, sss, brrr, arrr, rrr, grrrr, prrr. Zo'n 'r' heet de lippen-r. Je baby maakt hem het liefst met spinazie in de mond .... ☐
- Gebruikt medeklinkers: d, b, l, m .... ☐
- Brabbelt. Gebruikt eerste 'woordjes': mummum, baba, abba, hada-hada, dada, tata .... ☐
- Gaapt met geluid en luistert ernaar .... ☐
- Wat verder opvalt: ....

....

De afdeling 'lichaamstaal':

- Steekt de armpjes uit om opgepakt te worden .... ☐
- Smakt als hij honger heeft, zwaait er soms bij met armpjes en beentjes .... ☐
- Doet zijn mond open en reikt uit naar je eten of drinken .... ☐
- 'Spuugt' als hij geen eten meer wil .... ☐
- Duwt de fles/borst weg als hij genoeg heeft .... ☐
- Draait zelf van de fles/borst af als hij genoeg heeft .... ☐
- Wat verder opvalt: ....

....

De afdeling 'diversen':

- Begint zich 'aan te stellen'. Bijvoorbeeld: als moeder aandacht geeft aan het hoesten, dan hoest hij lachend nog een keer .... ☐
- Moppert als hij ongeduldig is .... ☐
- Gilt als iets niet lukt .... ☐
- Heeft een speciale 'knuffel'. Kan ook een doekje, slofje, speeltje of zo zijn .... ☐
- Wat verder opvalt: ....

....

Bedenk steeds dat je baby nooit in één klap alle 'goederen' in deze winkel kan opkopen. Met negentien weken krijgt hij voor het eerst toegang tot de winkel. Maar wannéér hij zich wát eigen maakt, hangt af van de interesse van de baby en de gelegenheid die hij krijgt.

Kijk goed naar je baby. Stel vast waar zijn belangstelling naar uitgaat. In het kader: 'Wat heeft de "winkel van de gebeurtenissen" in de aanbieding', is ruimte om aan te geven wat je baby kiest. Je kunt er zelf ook 'winkelen', om te zien of er dingen bij zijn die de baby leuk zou kunnen vinden, maar waar hij een handje bij geholpen moet worden.

ZO ZIJN BABY'S
Alles wat nieuw is, vindt je baby het leukst. Reageer daarom altijd en vooral op nieuwe vaardigheden en interesses die je baby toont. Hij leert dan prettiger, makkelijker, sneller, en meer.

De uitwerking van de sprong: Help je baby bij het leren

Hoe meer je baby in contact komt met 'gebeurtenissen', ermee speelt, hoe beter zijn begrip ervan wordt. Het doet er niet toe of hij dat begrip nu het eerst leert op het gebied van muziek, geluiden of woorden, op het gebied van bekijken en observeren, of op het gebied van het zelf doen. Later zal hij dat begrip makkelijker ook op andere gebieden gaan gebruiken.
Met het vermogen tot het waarnemen en uitvoeren van 'gebeurtenissen', krijgt je baby een enorme belangstelling voor alles om hem heen. Hij lijkt nu volledig op de buitenwereld gericht. Alle activiteiten zijn er om geobserveerd en beluisterd te worden. Alle speel-, huis-, tuin- en keukenspullen zijn er om gepakt te worden. Jij bent nu niet meer het enige speelgoed. Hij probeert zich overal heen te bewegen. En doet dat door zich met handjes en voetjes af te zetten. Wég van moeder. Op naar het nieuwe. Voor de 'oude' knuffelspelletjes heeft hij nu minder tijd. Moeders krijgen dat al snel in de gaten. Sommigen voelen zich dan een beetje aan de kant gezet.
Toch is je hulp even hard nodig. Het is typisch voor deze leeftijd van je baby. Je ziet dat moeder nu vooral iemand is die speelgoed en andere dingen aan het kind aanbiedt en dan afwacht. Ze kijkt wat hij ermee doet. Pas als hij niet alle mogelijkheden benut, helpt ze hem die te ontdekken. Verder zie je dat moeder in de gaten houdt of de baby wel goed genoeg beweegt, als hij iets wil onderzoeken. En als dat niet zo is, oefent ze het rollen, draaien en kruipen. Ook oefent ze zitten en staan.

Leer hem rollen: Maak er een spelletje van

'Hij ligt driftig te trainen om zich straks te kunnen draaien. Als hij op zijn buik ligt, doet hij zijn armen en benen tegelijk omhoog, ligt daarbij enorm te kreunen, maar komt niet verder.' (Jan, week 21)

'Ze probeert te draaien van rug naar buik. Dit lukt nog niet en dan wordt ze vreselijk boos. Daarna is er met haar geen land meer te bezeilen.' (Ashley, week 20)

'Alleen als zij driftig is, rolt zij om. Dit tot haar eigen verbazing.' (Laura, week 20)

Als je het van rug-naar-buik rollen wilt oefenen, kun je dat als volgt doen: je legt de baby op de rug en je houdt zelf een kleurrijk speeltje naast hem vast. Hij moet dan zó reiken en draaien om het te kunnen pakken, dat hij als vanzelf omrolt. Natuurlijk moedig je hem aan de lopende band aan. En tenslotte prijs je hem om wat hij heeft gedaan.
Je kunt ook het rollen van buik-naar-rug spelend oefenen. Meestal doen moeders dat zo: je legt de baby op de buik en houdt een kleurrijk speeltje links of rechts achter de baby. Als hij draait en er naar reikt, verdwijnt ook het speeltje verder achter de rug van de baby. Op een gegeven moment rolt de baby om, omdat hij zich wat te ver heeft gedraaid om het speeltje te pakken. Zijn zware hoofd sleept hem dan mee.

Leer hem 'kruipen': Soms lukt het

> 'Soms heb ik het idee dat hij wel wil kruipen, maar nog niet weet hóe. Hij ligt wel erg te woelen, maar komt geen centimeter vooruit. Hij kan dan erg boos worden.' (Dirk, week 20)

Het probleem bij het kruipen is het vooruitkomen. De meeste baby's willen wel en ze proberen het ook. Ze nemen ook een goede starthouding aan. Ze trekken de knietjes onder zich, gaan met de billetjes de lucht in en zetten zich af. Zonder succes. Andere gaan op handen en knieën zitten en wippen wat op en neer. Er zijn ook baby's die achteruitschuiven. Zij duwen zich af met de handjes. Weer anderen zetten zich af met één voetje en draaien dus rondjes. Maar er zijn er óók die na wat gestuntel écht vooruitkomen.
Bijna alle moeders proberen een handje te helpen. Ze duwen het kontje voorzichtig in de voorwaartse richting. Of ze leggen een aantrekkelijk speeltje nét buiten bereik. Soms met succes. Dan lukt het de baby om zich op de een of andere manier naar dat speeltje te bewegen. Bijvoorbeeld, door zich met een plof naar voren te laten vallen. Of door zich op de buik vooruit te duwen met de beentjes en te sturen met de handjes.
De meeste baby's hebben de grootste lol als moeder hun pogingen nadoet. Ook als ze voordoet hoe het écht moet. Bijna elke baby die worstelt met zijn kruipprobleem, kijkt daar geboeid naar. Probeer het eens.

BLOOT OEFENT HIJ FIJNER
Om goed te leren rollen, draaien en kruipen moet je baby oefenen. En hij doet dat makkelijk als er geen kleding in de weg zit. Als hij bloot oefent, leert hij zijn lichaam beter kennen en beheersen. Hij zal dan eerder succes hebben en ook meer lol.

Geef je baby gelegenheid zijn handen en vingers te oefenen

Veel baby's willen dingen voelen, ermee schudden, ze ronddraaien, ergens op slaan of hameren, iets op en neer schuiven. Allemaal 'gebeurtenissen' die hij ook ziet als een ander ze doet. Op een 'activity center' vind je een verzameling van dergelijke hand- en vingeroefeningen op één bord. Er zit meestal een draaischijf op, die lijkt op die van de telefoon. Als je baby draait, komt er geluid uit. Er zit een balletje op. Als de baby erop drukt, komt er geluid uit. Er zitten beestjes op, die op en neer geschoven moeten worden. Blikjes die de baby kan rollen, enzovoort. Alles maakt geluid. Veel baby's zijn dol op hun 'activity center', maar het lukt hun lang niet altijd om álles goed te gebruiken.

> 'We hadden al weken een activity center in de box hangen. Gewoon voor de gezelligheid. Hij keek er wel 'ns naar, maar deed er niets mee. Deze week begon hij ineens ernaar te grijpen. Hij vindt het nu reuze leuk om aan al die bellen en toeters te komen. Om dingen te draaien. Je kunt merken dat hij echt op onderzoek uit is. Hij wordt nog wel snel moe, want hij moet zich op één handje opdrukken.' (Paul, week 18)

Doe het vóór, als je ziet dat je baby iets wel wil maar nog niet kan. Of doe het samen met de baby door zijn hand vast te houden. Zo maak je je baby spelend handig.

Laat je baby de wereld ontdekken

Als je baby het vermogen tot het waarnemen en uitvoeren van 'gebeurtenissen' krijgt, kan hij ook 'handiger' speeltjes en dingen onderzoeken. Hij kan ze nu ronddraaien, ermee schudden, elk detail bevoelen en belikken. Hij kan beter de verschillende geluiden begrijpen en ga zo maar door. En doordat hij dat nu allemaal kan, leert hij de dingen die hij hanteert beter kennen dan hij tot nu toe kon. Speel daarop in.
Geef je baby speeltjes en dingen van verschillende materialen. Zoals hout en plastic dat hard of zacht is. Stofjes die allemaal anders aanvoelen. Papier dat zacht, ruw of glad is. Voor veel baby's is een heerlijk krakende, lege chipszak een topper. Als ze erin knijpen, verandert het langzaam van vorm en geeft het zo'n lekker geluid.

Laat de baby speeltjes en dingen onderzoeken die van vorm verschillen. Die rond of vierkant zijn of waar kartelrandjes, uitstulpingen en dergelijke aan zitten. De meeste baby's vallen op rare vormen. De vorm van een plastic sleutel bijvoorbeeld, nodigt hem uit tot nader onderzoek. Vooral het gekartelde deel is voor velen het voelen, kijken en proeven waard.

Heeft je baby oog voor detail?
Sommige baby's hebben vooral aandacht voor de kleinste details. Zo'n hummel bekijkt iets van alle kanten en doet dat heel nauwkeurig. Hij neemt er echt de tijd voor, om het aan een grondige inspectie bloot te stellen. Hij bekijkt en friemelt aan de kleinste uitsteeksels. Aait, voelt en wrijft langdurig over materiaal-, vorm- en kleurverschillen. Alles lijkt hem op te vallen. Hij onderzoekt ook moeder nauwkeurig. Hij bestudeert een vinger, kijkt en voelt hoe die beweegt en gaat door naar de volgende. En als hij haar mond een grondige beurt geeft, slaat hij geen tand over. Speel in op de interesse van je baby en geef hem speeltjes of dingen die voor hem het bekijken waard zijn.

> 'Ze wordt beslist tandarts. Als ze in mijn mond bezig is, stik ik zowat. Ze kruipt er helemaal in en laat merken dat ik haar in haar werkzaamheden stoor, als ik haar handen kus en dus mijn mond sluit.' (Xara, week 21)

Is je baby een echte 'muziekliefhebber'?
Er zijn ook baby's die extra geïnteresseerd zijn in muziek, in tonen en in allerlei geluiden. Zo'n baby is vooral bezig met dingen die geluiden maken. Hij zal ze bijvoorbeeld ronddraaien, om te luisteren naar het geluid dat ze maken. En hij zal uitproberen wat er gebeurt als hij dat langzaam doet of vlug. Speel daarop in met het speelgoed dat je geeft. Help hem het te gebruiken.

Is je baby een echte 'kijker'?
Het huishouden is vol met 'gebeurtenissen', die het bekijken waard zijn. Veel baby's zien met enthousiasme toe hoe moeder eten klaarmaakt, hoe ze de tafel dekt, hoe ze zich aankleedt, hoe ze in de tuin bezig is. Ze begrijpen immers de verschillende 'gebeurtenissen', die bij aankleden, koken, tafeldekken en tuinieren horen, zoals kloppen van slagroom, stampen van uien, borden uitdelen, brood snijden, brood smeren, haren borstelen, nagels vijlen, schoffelen. Speel daarop in. Laat je baby bekijken hoe je eten klaarmaakt, de tafel dekt, de tuin schoffelt. Het kost jou geen moeite en hij leert en geniet.

> 'Ze smakt, trappelt en steekt haar handje uit als ze merkt dat ik brood klaarmaak. Het is duidelijk dat ze weet waar ik mee bezig ben en dat ze om eten vraagt.' (Odine, week 20)

Vindt jouw baby ook alles lekker?
De meeste baby's willen alles proeven wat moeder eet en drinkt. Je kunt nu niet langer iets pakken met je baby op schoot. Hij wil zijn deel en grijpt het. De meeste baby's vinden trouwens nu nog alles lekker.

> 'Hij grijpt met een reeds geopende mond naar mijn boterham. Krijgt hij iets te pakken, dan gaat het er ook meteen in. Hij vindt het nog lekker ook.' (Rudolf, week 19)

MAAK JE HUIS BABY-VEILIG
Je baby wordt met de dag mobieler. Voorkom dat hij iets kan doen dat gevaarlijk is.
- Laat nooit kleine dingen zoals knopen, spelden of munten in de buurt van je baby liggen.
- Als hij tijdens het voeden op schoot zit, zorg dan dat hij niet ineens naar je kopje of beker met een hete drank kan grijpen.
- Zet geen hete vloeistoffen op een tafeltje waar de baby zelf bij kan. Ook op een hoge tafel staan deze vloeistoffen gevaarlijk. Als de baby zich optrekt aan een tafelpoot of erger nog, aan het kleed dat over de tafel ligt, kan hij de hete massa over zich heen krijgen.
- Scherm een kachel of open haard af met een hek of scherm, dat de baby niet om kan trekken.
- Houd giftige materialen, zoals terpentijn, chloor of medicijnen, buiten bereik van je baby.
- Zorg dat stopcontacten beveiligd zijn en snoeren goed vastzitten.

Laat je baby ook eens 'zittend' dingen onderzoeken
Neem je baby op schoot, om samen een speeltje te onderzoeken. Draai het rond, duw erop, voel eraan en praat erover. Laat hem ook eens rustig zélf spelen. Hij vindt het heerlijk om makkelijk zittend te spelen. Als hij het liggend doet, moet hij steunen op een arm en dat kost vaak grote moeite. Zittend kan hij trouwens ook weer anders tegen speelgoed aan kijken. Let maar eens op of hij zittend andere dingen met zijn speeltjes doet of nieuwe spelletjes uitvindt.

> 'Ik heb de kinderstoel voor de dag gehaald en hem er met een verkleinkussen ingezet. Meteen ontdekte hij dat je dingen met speelgoed kunt doen, die je niet op de grond kunt. Toen ik hem een sleutelbos gaf, ging hij er eerst mee op het blad slaan en gooide hem daarna steeds weer op de grond. Wel twintig keer achter elkaar. Hij had er veel plezier in en moest er steeds opnieuw om lachen.' (Paul, week 19)

Je baby kan 'zoeken': Maak er een spelletje van
De eerste kiekeboe- en verstop-spelletjes kun je op deze leeftijd spelen. Als je baby het vermogen tot het waarnemen en uitvoeren van 'gebeurtenissen' krijgt, weet hij dat een 'gebeurtenis' blijft doorgaan of dat een speeltje blijft bestaan, ook als hij ze niet meer helemaal ziet. Hij kan ze dus 'zóe-

ken'. Moedig je baby steeds aan als je merkt dat hij een speeltje wil pakken, dat half ergens onder verstopt ligt. Of beweeg het. Want dan maak je het spelletje makkelijker voor je baby. Hij geeft nog snel op.

Je baby gaat 'brabbelzinnetjes' maken

Moeders merken dat wát de baby zegt, nu iets ingewikkelder wordt. Soms lijkt het alsof hij écht iets vertelt. Dat komt omdat hij nu lettergrepen die hij kent herhaalt, zoals 'dada' en 'baba' en ze aan elkaar breit tot een 'zinnetje'. En dat komt omdat hij deze zinnetjes uitspreekt, terwijl hij speelt met de toonhoogte en de geluidssterkte. De meeste baby's worden even stil, als ze zichzelf een nieuw geluidje horen maken. Vaak lachen ze even, en pikken dan de draad weer op.
Het blijft belangrijk dat je veel met je baby praat. Dat je reageert op wat de baby laat horen. Dat je zijn nieuwe lettergrepen imiteert. Dat je antwoord geeft als de baby je iets 'vraagt' of 'vertelt'. Juist die reacties prikkelen de baby tot meer oefenen met zijn stem.

De eerste woordjes begrijpt hij nu

Op deze leeftijd kun je voor het eerst gaan merken dat de baby woorden écht begrijpt, maar ze nog niet kan zeggen. Bijvoorbeeld, vraag je in zijn vertrouwde omgeving aan hem: 'Waar is je beer?', dan zie je dat de baby de beer écht zoekt. Het blijkt dus dat het begrijpen van spraak vér vooruit is op zijn eigen praten.

> 'In de kamer hangt een schilderij met bloemen aan de ene muur en een foto van de baby met een grote beer aan de andere. Als ik vraag: "Waar zijn de bloemetjes?" of "Waar is de baby met de grote beer?", dan kijkt hij precies naar 't goede. Terwijl die dingen toch op een heel verschillende plaats hangen. Als hij dan later op zijn kamer komt, gaat hij meteen op zoek naar de grote beer. Waar hij in het echt zit. Hij herkent dat heel goed.' (Paul, week 23)

De meeste moeders zijn razend enthousiast, als ze merken dat de baby haar soms begrijpt. En ook heel trots. Sommigen kunnen het eerst niet geloven. Ze proberen het nog eens, tot ze zichzelf overtuigd hebben. Bijna alle moeders borduren meteen voort op deze nieuwe vaardigheid van de baby, ook al staat die nog in de 'babyschoenen'. Ze gaan langzamer praten. Woorden gebruiken in plaats van zinnen. Ze grijpen iedere gelegenheid aan om de bekende woorden te herhalen. Sommige moeders scheppen zelfs een nieuwe situatie om het woord te oefenen. Bijvoorbeeld, ze zetten de beer op alle mogelijke plaatsen neer. Ze laten dezelfde beer op foto's zien. Ze laten andere beren zien. Ook gaan veel moeders nieuwe woorden oefenen.

Baby's eerste boekje

Soms is een baby al geïnteresseerd in plaatjes kijken. Hij houdt dan zelf een boekje met twee handjes vast en kijkt geboeid naar de afbeelding op die bladzijde. Hij doet er echt moeite voor om dat vast te houden en naar de plaatjes te kijken. Daarna stopt hij het in zijn mond.

SPELTOPPERS VAN 'GEBEURTENISSEN'
Dit zijn spelletjes en oefeningen die inspelen op het nieuwe vermogen en die bij bijna alle 19-23 (plus of minus 1) weken oude baby's favoriet zijn.

Praatspelletje
Praat veel met de baby over dingen die hij ziet, hoort, proeft en voelt. Praat over dingen die hij doet, die hij meemaakt. Maak je zinnen kort en makkelijk. Benadruk de woorden waarom het gaat. Bijvoorbeeld: 'voel eens, *gras*', '*papa* komt', 'luister, de *bel*' of '*hap*'.

Het neusje pakken
Je zegt: 'Ik ga jouw... (even wachten) *neusje* pakken.' Dan pak je zijn neusje en beweeg je het zachtjes op en neer. Hetzelfde kun je doen met zijn oortjes, handjes en voetjes. Kijk wat hij het leukst vindt. Als je dit spelletje vaker speelt, weet hij precies wat er gaat komen. Hij kijkt dan al vol spanning naar je handen en kraait van plezier, als je zijn neusje te pakken hebt. Met dit spelletje leert hij spelend zijn lichaam en woorden kennen.

Samen plaatjes kijken
Sommige baby's vinden het leuk om naar een fel gekleurd plaatje in een boekje te kijken. Af en toe willen ze er wel meer bekijken. Zorg dat er bekende dingen op staan afgebeeld. Praat samen over dat plaatje en wijs het echte ding in de kamer aan.

Liedjes, rijmpjes of versjes
Vooral liedjes waar bewegingen bij horen, vinden veel baby's echt leuk, zoals 'Klap eens in je handjes', 'Draai het wieltje nog eens om', en 'Schuitje varen, theetje drinken'. Maar ook bewegingen op het ritme van een versje, zoals wiegen of dansen, vinden ze fijn. De baby herkent het liedje aan de melodie, het ritme en de intonatie.

Kietelspelletje
'Er komt een muisje aangelopen... zo in... baby's halsje gekropen.' Terwijl je dat zegt, loop je met je vingers over zijn lijfje en kietel je hem in zijn nekje. Doe het ook eens als hij in zijn blootje ligt.

Kiekeboe
Leg een doekje over zijn gezicht en vraag: 'Waar is ...?' Kijk of de baby zelf het doekje eraf trekt. Gebeurt dat niet, pak dan zijn handje vast en trek het er langzaam af. Maak het spelletje op deze leeftijd zo eenvoudig mogelijk. Anders kan de baby het nog niet snappen.

Spelletjes voor de spiegel
Kijk eens samen in een spiegel. Meestal kijkt de baby het liefst naar zichzelf en lacht vriendelijk. Dan kijkt hij naar het spiegelbeeld van zijn moeder. Dan naar zijn echte. Meestal blijft hij dan even verwonderd van de ene moeder naar de andere kijken. Als moeder dan praat is hij nog meer verwonderd. Het geluid komt immers alleen uit de échte. Dan lacht hij meestal en kruipt tegen zijn moeder aan.

SPEELGOED EN HUISRAAD DAT HET MEEST BOEIT
Dit zijn speeltjes en dingen die inspelen op het nieuwe vermogen en die bij bijna alle 19-23 (plus of minus 1) weken oude baby's favoriet zijn.
Eigenlijk kan alles in huis aantrekkelijk zijn. Bekijk wat jouw baby het leukst vindt en speel daar op in. Let er wel op dat het ongevaarlijk moet zijn.

- Badspeelgoed. Je kunt ook huis-, tuin- en keukenspullen in bad gebruiken, zoals maatbekers, plastic vergiet, plantespuit, gieter en zeepdoos.
- 'Activity centers' of speel- en oefenplateaus.
- Bal met uitstulpingen erop of grijpgleuven erin. Liefst met een belletje erin.
- Rammelaar en opblaasrammelaar.
- Doosje met wat rijst erin.
- Papier dat kraakt.
- Spiegel.
- Foto's of afbeeldingen van baby's.
- Foto's, afbeeldingen van voorwerpen of dieren, waarvan hij de naam kent.
- Cassette met kinderliedjes.
- Wielen die rond kunnen draaien, bijvoorbeeld aan een auto.

Conflicten met je baby

Als je baby het vermogen tot het waarnemen en uitvoeren van 'gebeurtenissen' heeft, kan hij ook vaardigheden gaan vertonen die je irriteren. Sommige moeders proberen die dan af te leren.

NOG EVEN DIT
Ook afleren van oude gewoontes en aanleren van nieuwe regels horen bij de uitwerking van ieder nieuw vermogen. Dát wat je baby nu voor het eerst begrijpt, kun je ook van hem eisen. Niet méér, maar ook niet minder.

Een eigen willetje: leuk en lastig

> 'Hij wordt een persoonlijkheidje waar je echt rekening mee moet gaan houden. Hij laat duidelijk merken wat hij wel en niet wil.' (Dirk, week 21)

Veel baby's willen zelf bepalen wat ze gaan doen en ze laten dat duidelijk merken. Ze willen rechtop zitten, overal bij zijn, aan alles meedoen zolang ze daar zin in hebben, en vooral alles hebben wat ze zien. Veel moeders vinden dat niet zo leuk. De ene vindt de baby nog te klein om overal aan te komen. De ander vindt het ongezellig, en soms een beetje ondankbaar, dat hij steeds maar weg wil. Ze proberen hem op allerlei manieren tegen te houden. Meestal door hem af te leiden met knuffelspelletjes. Soms door hem gewoon stevig vast te houden. Maar beide manieren hebben bijna altijd een averechts effect. Hij zet zich met nóg meer kracht af, en 'vecht' zich wég van moeder.

Met eten en slapen is het al net zo. De baby bepaalt wanneer hij naar bed wil en wanneer hij eruit wil. Hij geeft aan wanneer hij wil eten en wat hij het lekkerst vindt. Hij bepaalt wanneer hij genoeg heeft gegeten. Je zou kunnen zeggen dat er nu voor het eerst sprake is van iets van een machtsstrijd tussen moeder en baby.

Wild grijpen en graaien is lastig

Bijna alle moeders ergeren zich, als de baby wild graait en grijpt naar alles waar hij bij kan, of waar hij met moeder langs komt. Planten, koffiekopjes, boeken, geluidsinstallatie: niets is meer veilig. Moeders vinden dat steeds vervelender worden. Ze proberen deze graai-woede wat in te tomen door duidelijk 'nee' te zeggen en soms heeft dat succes.

> 'Als ze bij me zit, graait ze steeds weer naar de franje aan de schemerlamp. Ik vind dat vies, dus zet ik haar weg en zeg: "nee".' (Jetteke, week 20)

Ongeduldig zijn is vervelend

De meeste moeders vinden dat de baby kan leren even geduld te hebben. Ze reageren niet meer zo snel als tevoren. Als de baby nu iets wil hebben of doen, laten ze hem, heel kort nog, even wachten. Vooral het ongeduldig graaien naar eten irriteert bijna alle moeders. Sommigen maken daar ook daadwerkelijk een eind aan.

> 'Ze werd wild als ze haar bordje met eten zag en ze wist niet hoe snel ze het op moest eten. Ik ergerde me daar vreselijk aan en heb haar geleerd te wachten tot wij allemaal gaan eten. Ze is nu niet langer ongeduldig, maar wacht echt en kijkt hoe wij opscheppen.' (Nina, week 22)

Pijn doen is niet leuk

Nu de baby sterker en handiger is, kan hij moeder behoorlijk pijn doen. Hij bijt, kluift, en trekt aan gezicht, armen, oren en haren. Hij knijpt en draait in velletjes. Soms doet hij dat zo hardhandig, dat het echt pijn doet. De meeste moeders vinden dat de baby best wat voorzichtiger kan zijn en rekening kan houden met een ander. Ze maken van bijten, trekken en knijpen geen spelletje meer.
Anderen tomen de baby onmiddellijk in, als hij té enthousiast wordt. Ze doen dat door hem meteen te laten merken dat hij te ver gaat. Meestal gebeurt dat met woorden. Ze zeggen hard en ernstig: 'au'. Of waarschuwen met 'voorzichtig', als ze zien dat de baby een nieuwe aanval voorbereidt.

Baby's begrijpen een verbiedende stem op deze leeftijd heel goed. Heel soms wordt een moeder echt boos.

> 'Als hij ontzettend hard in mijn tepel bijt, moet ik me echt inhouden. Als eerste reactie krijg ik een vurige neiging om hem te slaan. Zo hard ik kan. Toen ik nog geen baby had, kon ik me kindermishandeling niet voorstellen. Nu wel.' (Thijs, week 20)

De sprong is genomen

Tussen 20 en 22 weken breekt weer een makkelijke periode aan. Veel moeders prijzen de baby om zijn vrolijkheid en ondernemingslust. Hij is één brok energie.
Moeder is niet langer het enige speelgoed. Hij is bewust bezig zijn omgeving te ontdekken en geniet daar zichtbaar van. Op schoot is hij ongeduriger. Hij wil eropuit. Je ziet nu dat hij zich steeds vaker wégwriemelt van moeders schoot of arm, omdat hij iets ziet dat boeit of iets wil pakken. Hij is duidelijk een stuk zelfstandiger.

> 'Ik heb deze week de kleinste kleertjes opgeruimd en er ging een steek door mijn hart. Wat raast de tijd. Dat "laten gaan" doet me soms zeer en gaat helemaal niet zo makkelijk. Hij is ineens zo groot. Ik heb ook een ander contact met hem. Hij is meer een apart individu. Ik kan het niet zo goed aangeven.' (Bob, week 23)

> 'Ze drinkt haar fles, terwijl ze met haar rug tegen me aanzit, helemaal rechtop en gericht op alles om haar heen. Ze wil ook zélf de fles vasthouden.' (Laura, week 22)

> 'Als hij op mijn schoot ligt, buigt hij zijn hoofd ver achterover om toch nog achter zich te kunnen kijken.' (Dirk, week 23)

> 'Ik leg hem bijna nooit meer in de box, voor mijn gevoel is die ruimte voor hem nu te klein.' (Bob, week 22)

> 'Hij protesteerde tegen de draagzak. Ik dacht eerst dat hij meer bewegingsruimte wilde, omdat hij steeds maar iets wil doen. Toen heb ik hem er omgekeerd in gezet. Hij kan nu alles zien.' (Steven, week 21)

Sommigen hoeven ook niets meer aangeleverd te krijgen. Als zij iets willen hebben, draaien en bewegen ze zelf alle kanten op en pakken zo alles zelf.

> 'Ze rolt van haar buikje op haar rug en kronkelt zich in allerlei bochten om bij een speeltje te komen of kruipt erheen. Ze is de hele dag fanatiek bezig en heeft geen tijd meer om te huilen. Kortom, ze is vrolijker dan ooit. En wij ook.' (Jetteke, week 21)

> 'Ze kruipt en rolt alle kanten op. Is niet meer te houden. Ze probeert haar wipstoel uit te komen, wil de bank op kruipen en hing al half in de hondemand. In bad is ze ook heel "bezig". Ze trappelt al het water uit het bad.' (Xara, week 22)

De baby is vrolijker.

'Zij is opvallend vrolijk. Lacht en "vertelt verhalen". Heerlijk.' (Juliette, week 23)

'Ik geniet weer volop van haar. Ze blijft enig. Echt erg makkelijk.' (Ashley, week 22)

'Hij is ineens gemakkelijker. Hij heeft weer een vast ritme en hij slaapt beter.' (Dirk, week 23)

Ook veel huilbaby's worden nu vrolijker. Zij kunnen meer doen. Misschien vervelen zij zich nu minder.

'Hij is verbazend superlief en vrolijk. Hij gaat nu zonder commentaar slapen, wat een hele overwinning is. En slaapt 's middags ook veel langer dan hij de laatste weken deed. Dit alles is zo'n verschil met een paar maanden geleden, toen hij de hele dag huilde. Met wat ups en downs gaat het steeds beter.' (Paul, week 22)

foto

Na de sprong

Leeftijd : ....

Wat opvalt : ....

Lief en leed rond 26 weken

Rond 26 (25-27) weken merk je dat je baby er een nieuw vermogen heeft bijgekregen. Je merkt dat hij allerlei nieuwe dingen doet of probeert, die je hem voor deze leeftijd nog nooit hebt zien doen. Hij laat daarmee zien dat zijn ontwikkeling een sprongetje maakt. Hijzelf heeft die sprong echter eerder gevoeld.
Rond 23 (22-26) weken wordt je baby meestal wat hangeriger dan je van hem gewend bent. Hij merkt dat zijn wereld er anders uitziet, dat hij zijn wereld anders beleeft. Hij merkt dat hij onbekende dingen ziet, hoort, ruikt, proeft en voelt. En in die wirwar van nieuwe indrukken heeft hij er behoefte aan even terug te grijpen naar iets ouds en bekends. Hij wil terug naar mama. Bij haar voelt hij zich het meest vertrouwd. Daar kan hij even tot rust komen en het nieuwe tot zich door laten dringen. Deze hangerige periode duurt bij de meeste baby's vier weken, maar kan ook één of vijf weken duren.

OM TE ONTHOUDEN
Als jouw baby 'hangerig' is, let dan alvast op nieuwe vaardigheden of pogingen daartoe.

De sprong kondigt zich aan: terug naar mama

Alle baby's huilen sneller dan hun moeders gewend zijn. Ze noemen ze mopperig, chagrijnig, dreinerig en ontevreden. Baby's met een sterke eigen wil komen ongedurig, ongeduldig of lastig over. Alle baby's huilen minder als ze op schoot zijn of als moeder bij hen blijft als ze bezig zijn.

> 'Ze toont steeds feller haar eigen willetje. Eist al op een nijdige toon dat ik naar haar toekom of dat ik bij haar moet blijven, omdat ze anders misschien niet bij haar speelgoed kan.' (Odine, week 25)

Hoe merk je dat je baby 'bij mama wil blijven'?

Slaapt hij slechter?
De meeste baby's slapen minder. Ze willen niet naar bed, komen moeilijker in slaap of ze zijn eerder wakker. Sommigen willen overdag niet naar bed. Anderen 's nachts niet. Een enkeling wil het geen van beide.

> 'Het naar-bed-gaan, zowel overdag als 's avonds, gaat gepaard met ontzettende schreeuwpartijen. Hij gilt moord en brand. Hij is finaal over zijn toeren. Hij kan zo schreeuwen, dat hij zichzelf bijna buiten adem brengt. Ik vind dit verschrikkelijk moeilijk. Nooit zie ik hem meer rustig in zijn bedje liggen kijken. Ik wens van harte dat dit niet blijvend is.' (Bob, week 26)

'Er klopt niets meer van zijn ritme, omdat hij steeds even eerder wakker wordt. Verder slaapt hij normaal.' (Dirk, week 25)

Heeft hij 'nachtmerries'?
Soms slapen baby's onrustig. Ze kunnen dan zo opgewonden tekeergaan in hun slaap, dat moeder denkt dat ze een nachtmerrie hebben.

'Ze slaapt erg onrustig. Soms gilt ze heel hard met haar ogen dicht, alsof ze een nachtmerrie heeft. Dan haal ik haar er even uit om tot rust te komen. Ik ben nu begonnen om haar 's avonds in bad te laten spelen en hoop dat ze hier misschien wat rustiger en roziger van wordt.' (Xara, week 23)

Is hij eenkennig?
Veel baby's willen niet dat anderen naar hen kijken, tegen hen praten of hen aanraken. En ze willen zeker niet bij hen op schoot. De meeste baby's willen ook steeds vaker mama kunnen blijven zien, ook als er geen 'vreemden' aanwezig zijn. Dit valt bijna alle moeders op. Dit komt omdat op deze leeftijd 'eenkennigheid' wordt aangewakkerd door het nieuwe vermogen dat de baby erbij krijgt bij deze sprong.

'Ik mag nog geen meter uit de buurt gaan of ze begint te huilen.' (Ashley, week 23)

'Hij wordt met de dag eenkenniger, wil mij altijd blijven zien en met mij in de buurt spelen. Als ik wegloop, kruipt hij me na.' (Thijs, week 26)

Vraagt hij meer aandacht?
Veel baby's willen dat moeder bij hen blijft, met hen speelt of naar hen kijkt.

'Hij wil korter in de box. Ik moest hem soms echt even bezighouden op schoot. Of met hem rondlopen.' (Dirk, week 27)

'Ze is sneller ontevreden, moet meer beziggehouden worden. In bed wil ze bijvoorbeeld eerder iemand zien als ze wakker is. Ze huilt niet, maar wordt nijdig. Ze reageert fel, heeft steeds meer een eigen willetje. Ze is een doorzettertje.' (Odine, week 26)

'Ze heeft eigenlijk constant kwade zin, was chagrijnig en dreinerig in het aandacht vragen. Ik moest de hele dag spelletjes met haar spelen of met haar bezig zijn. Dan was het goed.' (Jetteke, week 25)

Wil hij niet dat je lichaamscontact verbreekt?
Veel baby's willen op schoot of op de arm blijven en niet neergelegd worden. Sommigen zijn op schoot ook weer niet echt tevreden, omdat ze er dan weer op uit willen, maar niet van schoot af.

'Hij wil constant op schoot. Maar als hij daar zit, is hij bijna niet te houden. Hij wil overal heen kruipen en probeert als een wildeman naar alles te graaien waar hij bij kan. Ik vind dat niet leuk. Ik probeer wel een spelletje, maar het heeft geen enkele zin. Als hij dan toch niet met me wil spelen, moet hij ook niet zeuren. Ik vind het eigenlijk ondankbaar van hem dat hij mijn spel afwijst en ik zet hem dan terug in de box. Dat wil hij dan ook niet. Hij blert dan weer om mij.' (Thijs, week 27)

HEBBEN JULLIE DAT OOK?
- Meisjes die lichaamscontact vragen, willen meestal ook met mama spelen.
- Jongens die lichaamscontact vragen, willen tegelijkertijd op onderzoek uit.

Eet hij slechter?
Zowel baby's die de borst krijgen als baby's die de fles krijgen, drinken soms minder of weigeren alles. Ook de andere hapjes zijn soms minder in trek. Ze doen vaak ook langer over een maaltijd, ze lijken gewoon minder geïnteresseerd in eten en drinken.

'Hij weigert 's morgens en 's avonds altijd de borst, duwt hem weg. Heel pijnlijk. Als hij dan in bed ligt en niet kan slapen, wil hij wél weer aan de borst. Hij drinkt dan wat en valt eraan in slaap.' (Thijs, week 26)

Is hij 'stiller'?
Sommige baby's maken wat minder geluidjes. Anderen liggen vaker bewegingloos rond te kijken of te staren. Moeders vinden dit gedrag vaak 'vreemd' en 'beangstigend'.

'Soms ligt ze ineens heel stil te staren of rond te kijken. Als ze dit op één dag vaker doet, maakt me dat wat onzeker. Dan denk ik: Er zal toch niets aan de hand zijn? Dan ken ik haar niet terug. Zo futloos. Net of ze ziek is.' (Juliette, week 24)

Wil hij niet verschoond worden?
Veel baby's huilen als ze worden neergelegd om verschoond te worden. Of als ze aangekleed worden. Ze willen gewoon niet dat er iets aan hun kleren wordt veranderd.

'Als ik haar op de rug leg voor bijvoorbeeld een schone luier, begint zij altijd te huilen. Meestal niet zo lang, maar het is altijd hetzelfde liedje. Soms denk ik dat ze misschien iets aan haar ruggetje mankeert.' (Juliette, week 23)

'Als ik hem aankleed of verschoon, schreeuwt hij bijna altijd moord en brand. En als er een truitje over zijn hoofd gaat, is het echt kermis. Vind ik vervelend en ergerlijk. Nergens voor nodig.' (Bob, week 24)

Pakt hij vaker een knuffel?
Sommige baby's grijpen vaker naar een knuffel, slof, dekentje of doekje. Alles wat zacht is, kan in aanmerking komen. Meestal knuffelen ze ermee terwijl ze duimen. Het maakt ze rustig.

'Als ze merkt dat zeuren en mopperen haar niet uit de box helpen, legt ze zich daarbij neer. Ze pakt haar lapje en gaat zitten duimen met die lap in de hand. Snoezig.' (Ashley, week 24)

'Duimzuigen viert nu hoogtij. Als hij moe wordt, pakt hij vaak zijn duim, legt zijn hoofdje op de beer en valt zo in slaap. Zo ontroerend.' (Steven, week 23)

BABY VAN SLAG: HOE TOONT HIJ DAT?

- Huilt vaker. Is vaker chagrijnig, mopperig, dreinerig .... ☐
- Wil vaker worden beziggehouden .... ☐
- Wil niet dat je lichaamscontact verbreekt .... ☐
- Slaapt slechter .... ☐
- Eet slechter .... ☐
- Wil niet verschoond worden .... ☐
- Is (vaker) eenkennig .... ☐
- Maakt minder geluidjes .... ☐
- Is minder beweeglijk .... ☐
- Zuigt (vaker) op de duim .... ☐
- Pakt (vaker) een knuffel .... ☐
- Wat verder opvalt: ....
  ....

Zorgen[1], irritaties en ruzies

Moeder raakt uitgeput
Moeders van veel-aandacht-vragende baby's voelen zich in deze hangerige periode vaker moe. Zeker tegen het einde van die periode. Ze klagen over maagpijn, rugpijn, hoofdpijn en zenuwachtigheid.

'Ik ben zo allergisch voor zijn gehuil, dat ik totaal gefixeerd ben op "niet-huilen". De spanning die dat kost, slurpt al mijn energie op.' (Steven, week 25)

'Ik moest een avond steeds heen en weer lopen om de speen erin te stoppen. Om half één was ze ineens klaar wakker tot half drie. Ik had al een drukke dag achter de rug met veel hoofdpijn en rugpijn van het sjouwen. Dus toen stortte ik wel even in.' (Xara, week 27)

[1] Vraag bij twijfel altijd advies aan je huisarts of het consultatiebureau.

TANDEN KOMEN NIET PER SE ROND SPRONGEN

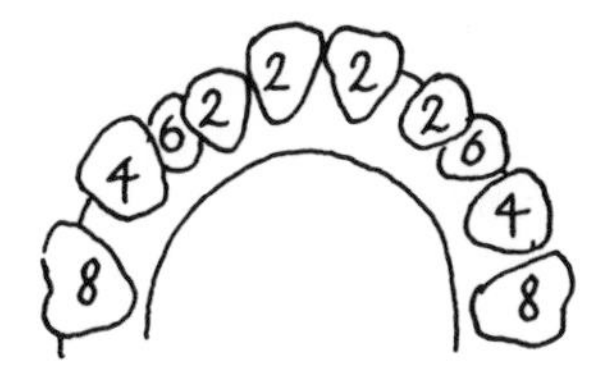

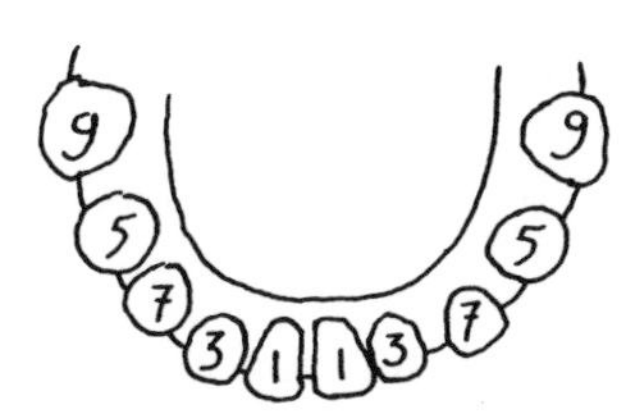

Hierboven kun je zien in welke volgorde tandjes meestal doorkomen. Baby's zijn echter geen machines. Je baby krijgt zijn eerste tandje wanneer hij eraan toe is. Het is een kwestie van aanleg. Ook de snelheid waarmee de tanden na elkaar verschijnen, zegt niets over de gezondheid of over de ontwikkeling van de baby zelf. Bijdehante baby's kunnen vroeg of laat, snel of langzaam hun tanden krijgen.

Meestal komt het eerste tandje door als de baby zes maanden is. Dit zijn de voortanden in de onderkaak (1). Meestal heeft hij zes tandjes als hij zijn eerste verjaardag viert. Als hij tweeënhalf is, komen de laatste kiezen (8) en is zijn melkgebit compleet. De peuter heeft dan twintig tanden of kiezen. Hieronder kun je bijhouden wanneer en in welke volgorde de tanden en kiezen van jouw baby doorkomen.

Let op: Diarree of koorts hebben niets met tandenkrijgen te maken. Als je baby dat heeft, is hij gewoon ziek.

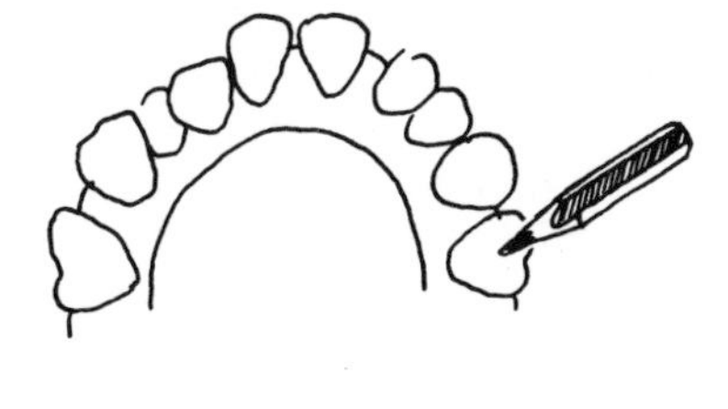

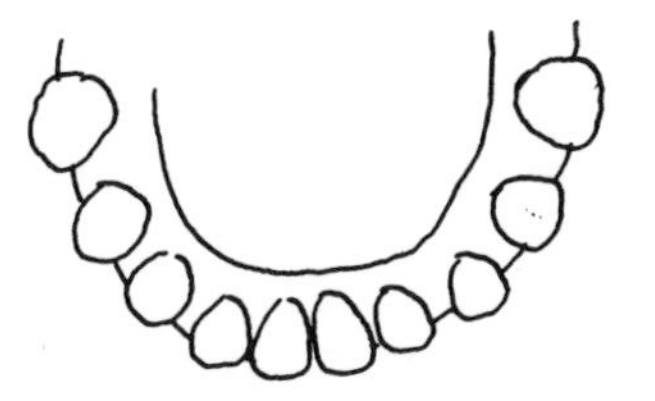

Datum

1	11 ....
2	12 ....
3	13 ....
4	14 ....
5	15 ....
6	16 ....
7	17 ....
8	18 ....
9	19 ....
10	20 ....

Moeder is bezorgd

Moeders vinden het altijd 'eng' als ze niet snappen wat er aan de hand is. Toen de baby kleiner was, dachten moeders meestal aan darmkrampjes. Nu vermoeden velen dat de baby hangerig is, omdat hij last heeft van zijn tandjes. Immers, rond deze leeftijd komen bij de meeste de eerste tanden door. Toch is er geen verband tussen hangerigheid als gevolg van een ontwikkelingssprong en tanden krijgen. Evenveel baby's krijgen tanden in een niet-hangerige periode als in een hangerige periode. Als je baby ook nog eens tanden krijgt als zijn ontwikkeling een sprongetje maakt, kan hij hierdoor natuurlijk wel extra lastig zijn.

> 'Ze is erg chagrijnig, wil alleen maar op schoot. Misschien in verband met haar tandjes. Deze zitten haar nu al drie weken dwars. Ze heeft er veel last van, maar ze zijn nog steeds niet door.' (Jetteke, week 25)

> 'Hij was heel huilerig. Volgens de kinderarts zijn er een heleboel tandjes op komst.' (Paul, week 27) De eerste tand kwam zeven weken later.

Moeder ergert zich

Moeders maken zich boos, als ze vinden dat de baby geen reden heeft om zo lastig en hangerig te zijn. En dit gevoel wordt steeds sterker aan het einde van de hangerige periode. Vooral moeders met een baby die extra veel aandacht vraagt, kunnen het dan gewoon niet meer aan. Ze kunnen klagen over moeheid, hoofdpijn, misselijkheid, rugpijn en zenuwachtigheid.

> 'Ik vond 't een ontzettend zware week. Hij huilde om alles. Hij vroeg aan één stuk door aandacht. Hij was de hele dag tot 10 uur wakker en onrustig. Ik heb ontzettend veel met hem rondgesjouwd in de draagzak. Dat was wel naar zijn zin. En ik voelde me moe, moe, moe van al dat gesjouw en continu gehuil. Als hij dan 's avonds weer lag te donderjagen in bed, was het net of ik over een bepaalde grens in mezelf ging en dan voelde ik me ontzettend agressief worden. Dat gebeurde vaak deze week.' (Bob, week 25)

Moeder vindt het 'welletjes'

Rond maaltijden kunnen nu conflicten ontstaan. De meeste moeders vinden het akelig als de baby niet wil eten. Ze blijven eten aanbieden. Ze proberen het speels, soms dwingend. Maar meestal zonder succes.

Op deze leeftijd kunnen baby's met een sterke eigen wil heel fel en vasthoudend zijn in hun weigering. Dit maakt moeders, die uit pure bezorgdheid óók vasthoudend zijn, soms erg boos. Zo worden maaltijden ware strijdtonelen. Probeer rustig te blijven. Stop met de strijd. Je kunt 'eten' toch niet dwingen. In de hangerige periode zijn veel baby's niet zo dol op eten. Maar dat is tijdelijk. Als je te veel blijft aandringen, heb je kans dat je baby ook blijft weigeren als de hangerige periode voorbij is. Hij maakt er dan een gewoonte van.

Aan het einde van de hangerige periode voelen moeders goed aan dat hun baby meer kan dan hij laat zien. Steeds meer moeders krijgen genoeg van die vervelende hangerigheid en vinden dat er een einde aan moet komen.

> 'Ik erger me geregeld aan dat gezeur om aandacht of om opgenomen te worden. Nergens voor nodig. Ik heb meer te doen. Als ik 't zat ben, gaat ze het bed in.' (Juliette, week 26)

Het nieuwe vermogen breekt door

> 'Wat ik steeds terugzie is een moeilijke, soms zeer moeilijke piek en dan een vredig dal. Steeds als ik op het punt kom dat ik denk: Dit red ik niet meer, draait ineens alles 180 graden om. Hij doet ineens allemaal nieuwe dingen. Het verraste me.' (Bob, week 26)

Rond 26 weken ontdek je dat de baby meer kan dan je dacht. Je merkt dat hij dingen probeert of doet die nieuw zijn. Dat komt omdat op deze leeftijd bij iedere baby het vermogen tot het waarnemen van en spelen met 'relaties' doorbreekt. Je kunt dit vermogen vergelijken met een volgende 'winkel', die wordt geopend en waar weer een uitgebreide schakering aan koopwaar ligt. Jouw baby met zijn aanleg, voorkeur en temperament maakt zijn eigen keuze. Hij kan weer uitgebreid winkelen en zich nieuwe dingen eigen maken. En als volwassene kun je hem daarbij helpen.

De sprong: de 'winkel van de relaties'

Je baby kan nu voor het eerst allerlei soorten 'relaties' waarnemen en uitvoeren. De hele wereld hangt aan elkaar van relaties. Het ene heeft altijd iets met het andere te maken. Iets dat hij ziet kan te maken hebben met iets anders dat hij ook ziet, maar het kan ook iets te maken hebben met wat hij hoort, voelt, proeft of ruikt. Je baby zal je er eindeloos veel voorbeelden van laten zien. En je kunt ze plaatsen als je weet waar je zoal op moet letten. Om je daarbij te helpen, volgen hier een paar voorbeelden.

Het dringt nu tot hem door, dat mensen en dingen zich altijd op een bepaalde afstand van elkaar bevinden. Dat blijkt het sterkst uit de interactie met zijn moeder. Als zij die afstand te groot maakt, zonder dat hij er iets aan kan doen, gaat hij huilen. Hij verliest dan de controle over die afstand.

> 'We hebben een probleempje. Ze wil niet meer in de box. Zweeft ze maar boven dat ding, dan trekt ze al een bibberlipje. Ligt ze erin, dan is het brullen. Het is echter over als ik haar op de grond leg, aan de andere kant van de "tralies" dus. Ze kruipt me dan na.' (Nina, week 25)

Je baby begrijpt nu dat iets zich *in, uit, op, boven, naast, onder* of *tussen* iets anders bevindt. En hij speelt met die begrippen.

> 'Hij is de hele dag bezig met speeltjes in en uit zijn doos te halen. Hij kiepert dan weer alle spullen óver de rand van zijn box en een andere keer werkt hij ze allemaal tussen de spijlen door naar buiten. Hij haalt kasten en planken leeg en laat met het grootste plezier flesjes en bakjes water leegdruppelen in bad. Maar het mooiste was het volgende: toen ik hem voedde, liet hij de tepel los, bestudeerde deze met een ernstig gezicht, schudde even mijn borst op en neer, zoog één keer, keek weer en bleef zo een tijdje doorgaan. Dit heeft hij nog nooit gedaan. Net of hij wilde uitvinden hoe daar nou iets uit kon komen.' (Thijs, week 30)

Je baby kan nu begrijpen dat het één het ander veroorzaakt. Zoals een knopje dat een muziekje in gang zet als het ingedrukt wordt. Hij wil daarmee bezig zijn en wordt aangetrokken door dingen als muziek- en televisieapparatuur, lichtknopjes en (speelgoed)piano's.
Hij begrijpt nu dat twee mensen, dingen, geluiden, situaties, enzovoort bij elkaar kunnen horen. Of dat een geluid bij een ding hoort of bij een bepaalde situatie. Hij weet dat gerammel in de keuken betekent: 'Er wordt aan mijn eten gewerkt.' Dat het geluid van de sleutel in de voordeur betekent: 'Papa komt thuis.' Dat de hond zijn eigen eten en speelgoed heeft. Dat hij bij papa en mama hoort. Soms geeft deze nieuwe vaardigheid je baby ook zorgen en onzekerheden.

> 'Het valt me op dat hij bang is voor de broodsnijmachine bij de bakker. Zogauw het brood erin gaat, kijkt hij me steeds aan of dat wel te vertrouwen is. Als ik hem dan lachend aankijk, is 't na 'n poosje goed. Maar zeker niet meteen, eerst kijkt hij bang, dan naar mij, dan weer bang, dan weer naar mij.' (Paul, week 29)

Je baby begrijpt nu ook dat mensen en dieren hun bewegingen op elkaar afstemmen. Ook al lopen twee mensen los van elkaar, toch heeft hij in de gaten dat ze rekening houden met elkaars bewegingen. Ook dat is een relatie. Het valt hem dan ook op als er tussen twee mensen of dingen iets fout gaat. Als mama iets met een kreet laat vallen, en zich tegelijkertijd snel bukt om het te vangen, of als twee mensen per ongeluk tegen elkaar botsen, of als de hond van de bank valt, is dat iets 'abnormaals'. En zo'n situatie kan bij de ene baby ontzettend op de lachspieren werken, terwijl het een ander kind heel angstig kan maken. En weer een ander razend nieuwsgierig of heel ernstig. Het is immers iets dat eigenlijk niet hoort.
Verder voelt hij nu dat hij de bewegingen van zijn lijf en ledematen op elkaar kan afstemmen en dat zij samenwerken als één precisieteam. Als hij dat aanvoelt, kan hij méér met zijn speelgoed gaan doen. Hij kan 'volwassener' gaan kruipen. Hij kan proberen zélf te gaan zitten, zich op te trekken tot staan en weer gaan zitten. Hij kan heel trots de eerste stapjes zetten, met hulp. En een enkele baby doet dat al zonder hulp, net voordat de volgende sprong begint.
Al deze 'lichamelijke oefeningen' kunnen ook beangstigend zijn voor een baby. Baby's realiseren zich heel goed wanneer ze de controle over hun lichaam kwijtraken. Ze moeten leren hun evenwicht te bewaren. Dit evenwicht bewaren heeft weer te maken met afstanden zien. Als de baby dat onder de knie krijgt, kan hij ook leren om zijn evenwicht te bewaren. In

'De uitwerking van de sprong: Help je baby bij het leren' (blz. 98) wordt aan alle vaardigheden die hierboven staan en waar je je baby bij kunt helpen, uitgebreid aandacht besteed.
Als je baby 'relaties' waarneemt en er zelf mee 'speelt', doet hij dat op zijn manier. Hij maakt gebruik van de vermogens die hij al tot zijn beschikking heeft gekregen bij de vorige sprongetjes in zijn ontwikkeling. Dus hij neemt 'relaties' waar tussen 'patronen', 'vloeiende overgangen' en 'gebeurtenissen'.
Dit vermogen tot het waarnemen van en het spelen met 'relaties' verandert het gedrag van je baby. Het doorstraalt alles wat hij doet. Je baby merkt nu dat de wereld vol is met 'relaties'. Hij neemt ze waar tussen mensen, tussen dingen, tussen mensen en dingen, tussen hemzelf en andere mensen en dingen, en tussen zijn eigen ledematen.
Kun je je voorstellen dat je baby van slag is als dit alles tot hem doordringt? Voor ons als volwassenen zijn 'relaties' heel gewoon. Wij hebben ermee leren leven. Je baby nog niet.

WAT HEEFT DE 'WINKEL VAN DE RELATIES' IN DE AANBIEDING?

De afdeling 'evenwicht bewaren':

- Gaat zelf zitten als hij ligt .... ☐
- Gaat zelf staan, trekt zich op .... ☐
- Gaat zelf weer zitten als hij staat.......... ☐
- Staat los.......... ☐
- Loopt met steun .... ☐
- Springt zonder van de grond te komen .... ☐
- Grijpt een speeltje dat boven zijn hoofd op een plank ligt .... ☐
- Wat verder opvalt: ....
  ....

De afdeling 'zelf doen':

- Stapt langs de rand van het bedje, de tafel, of de box .... ☐
- Stapt achter een doos door de kamer .... ☐
- Steekt staande over van tafel naar stoel. Doet een stap .... ☐
- Kruipt overal in (zoals kasten, dozen), onder (zoals stoelen, trappen).......... ☐
- Kruipt heen en weer over lage verhogingen.......... ☐
- Kruipt de kamer in-en-uit.......... ☐
- Kruipt om de tafel heen.......... ☐
- Bukt en/of gaat op de buik liggen om iets dat onder de bank ligt te pakken.......... ☐
- Klapt in zijn handen.......... ☐
- Gaat zijn duim en wijsvinger gebruiken bij het voelen en pakken.......... ☐
- Kan met twee handen met iets spelen (bijvoorbeeld twee dingen tegen elkaar slaan) .... ☐
- Wat verder opvalt: ....
  ....

De afdeling 'hanteren van spullen':

- Tilt het kleed op om eronder te kijken ☐
- Houdt een beer op de kop om het geluid erin te horen ☐
- Rolt een balletje over de grond ☐
- Pakt feilloos een balletje, dat je naar hem toe rolt ☐
- Gooit een prullenbak om, om de inhoud eruit te gooien ☐
- Gooit dingen weg ☐
- Legt speelgoed op-en-naast een mand, in-en-uit een doos, onder-en-op een stoel, uit de box, haalt het tussen de spijlen door ☐
- Probeert of het ene speeltje in het andere past ☐
- Haalt speeltjes (zoals legostenen, stapelbakjes) uit elkaar ☐
- Probeert blokjes (zoals legostenen) aan elkaar te zetten, lukt niet ☐
- Probeert iets dat in een speeltje zit eruit te pulken, bijvoorbeeld een belletje ☐
- Trekt eigen sokjes uit ☐
- Pulkt veters los ☐
- Haalt kasten en planken leeg ☐
- Probeert uit hóe iets valt ☐
- Stopt eten in de mond van de hond, papa of mama ☐
- Duwt deuren dicht ☐
- Poetst iets 'schoon' of wrijft ergens overheen met een doekje ☐
- Wat verder opvalt: ....
  ....

De afdeling 'kijken':

- Kijkt afwisselend van het ene speeltje (spulletje, of voedsel) naar het andere, als hij het in zijn handen heeft ☐
- Kijkt afwisselend naar een dier in verschillende prentenboeken ☐
- Kijkt afwisselend naar een mens op verschillende foto's ☐
- Observeert de bewegingen van een dier, vooral als het iets afwijkt van het normale (bijv. een hond die met korte pasjes trippelt over het parket) ☐
- Observeert de bewegingen van een mens, als die anders doet dan anders (bijv. mama die zingt, danst en klapt, of papa die op zijn kop staat) ☐
- Onderzoekt eigen lichaam. Vooral de penis en vagina zijn in trek ☐
- Veel aandacht voor kleinere details of onderdelen aan of op speelgoed of andere spullen (bijv. de etiketten aan handdoeken en knuffels, stickertjes op speelgoed) ☐
- Zoekt zelf een boekje uit ☐
- Zoekt zelf uit waarmee hij wil spelen ☐
- Wat verder opvalt: ....
  ....

De afdeling 'luisteren':

- Legt verband tussen woorden en daden. Begrijpt korte commando's, zoals 'nee, niet doen' en 'kom we gaan', 'klap eens in je handen' ☐

- Luistert heel aandachtig als je iets uitlegt; je kunt merken dat hij het soms begrijpt ☐
- Luistert graag naar een dierengeluid dat bij een plaatje van dat dier past ☐
- Luistert aandachtig naar een stem door de telefoon ☐
- Heeft aandacht voor geluiden die bij een bepaalde handeling horen (bijv. bij het zemen van de ramen) ☐
- Luistert naar het geluid dat hij op de een of andere manier zelf maakt (bijv. als hij met zijn nagels over het behang krast, of als hij met blote billen over het zeil schuift) ☐
- Wat verder opvalt: ....

De afdeling 'praten':

- Legt verbanden tussen woorden en daden. Zegt de eerste 'woordjes' in de juiste context. Zegt bijvoorbeeld 'boe' (= boem) als hij valt, 'aai' als hij aait, 'Poe' als Poemel de hond in het zicht komt, 'Bè' als Bert uit Sesamstraat op t.v. is en 'hatsjie' als iemand niest ☐
- Blaast echt ☐
- Wat verder opvalt: ....

De afdeling 'afstand moeder-baby':

- Protesteert als mama wegloopt ☐
- Kruipt mama achterna ☐
- Maakt steeds even contact met mama als hij bezig is ☐
- Wat verder opvalt: ....

De afdeling 'gebaren nadoen':

- Zwaait gedag ☐
- Klapt in de handen ☐
- Imiteert klakken met zijn tong ☐
- Imiteert 'ja' knikken of 'nee' schudden. 'Ja' knikt hij vaak alleen met zijn ogen ☐
- Wat verder opvalt: ....

De afdeling 'diversen':

- 'Danst' als hij muziek hoort: Wipt met de buik op en neer ☐
- Wat verder opvalt: ....

Bedenk steeds dat je baby nooit in één klap alle 'goederen' in deze winkel kan opkopen. Met 26 weken krijgt hij voor het eerst toegang tot de winkel. Maar wannéér hij zich wát eigen maakt hangt af van de interesse van de baby en de gelegenheid die hij krijgt.

Wat kiest jouw baby uit de 'winkel van de relaties'?
Alle baby's hebben dit vermogen tot het waarnemen van en het spelen met 'relaties' gekregen. Een nieuwe winkel, vol met nieuwe mogelijkheden, staat voor allemaal open. Jouw baby maakt zijn eigen keus. Hij pakt dát wat het beste past bij zijn aanleg, interesse, lichaamsbouw en gewicht. Je kunt daarom geen baby's met elkaar vergelijken. Iedere baby is uniek.
Kijk goed naar je baby. Stel vast waar zijn belangstelling naar uitgaat. In het kader: 'Wat heeft de "winkel van de relaties" in de aanbieding', is ruimte om aan te geven wat je baby kiest. Zelf kun je er ook 'winkelen' om te zien of er dingen bij zijn, waarvan je denkt dat je baby ze ook leuk zou vinden.

ZO ZIJN BABY'S
Alles wat nieuw is, vindt je baby het leukst. Reageer daarom altijd en vooral op nieuwe vaardigheden en interesses die je baby toont. Hij leert dan prettiger, makkelijker, sneller en meer.

De uitwerking van de sprong: Help je baby bij het leren

Iedere baby heeft tijd en hulp nodig om het nieuwe vermogen zo goed mogelijk uit te werken in vaardigheden die hij onder de knie krijgt. Als moeder kun je hem daarbij helpen. Je kunt hem de gelegenheid en de tijd geven om met 'relaties' te spelen. Je kunt hem aanmoedigen en troosten, als het even niet meezit. Je kunt hem nieuwe ideeën aanreiken.
Geef je baby de gelegenheid, zoveel mogelijk in contact te komen met 'relaties'. Laat ze hem zien, horen, voelen, ruiken en proeven, net wat hij het prettigst vindt. Hoe meer hij ermee in contact komt, ermee speelt, des te beter zijn begrip ervan wordt.
Het doet er niet toe of je baby dat begrip nu het liefst leert op het gebied van observeren, het hanteren van speeltjes, taal, geluiden, muziek of op motorisch gebied. Hij zal dat begrip later makkelijk ook op andere gebieden gaan gebruiken. Hij kan nu eenmaal niet alles tegelijk doen.

Laat je baby merken dat je niet écht weggaat
Je baby begrijpt ineens dat mama de afstand tussen hem en haar kan vergroten en van hem wég kan lopen. Hiervoor zagen zijn ogen het wel, maar drong de betekenis van 'weglopen' nog niet tot hem door. Nu dat wel het geval is, zit hij met een probleem. Hij wordt bang als hij merkt dat moeder onvoorspelbaar is, dat ze elk moment weg kan lopen, dat hij haar niet of te langzaam achterna kan gaan. Kortom, hij voelt dat hij geen controle heeft over de afstand tussen hem en zijn moeder. Je baby moet leren met deze 'vooruitgang' om te gaan. Dat kost begrip, medeleven, oefening en tijd.

Niet alle baby's willen mama even vaak en even dicht bij zich houden. Meestal is de paniek het grootst rond week 29. Daarna neemt die weer wat af tot het volgende sprongetje zich aankondigt.

'Zolang ze me kan zien is het goed, anders begint ze te huilen.' (Eefje, week 29)

'Hij krijgt af en toe kuren. Huilt tot je hem oppakt en lacht dan zeer voldaan.' (Dirk, week 31)

'Ze is zoals normaal bij de oppas geweest. Ze wilde niet eten, niet slapen, niets. Heeft alleen maar gehuild. Dit heb ik nog niet eerder meegemaakt met haar. Voel me schuldig als ik haar zo moet achterlaten. Denk erover minder te gaan werken, maar ik weet niet hoe ik dat moet regelen.' (Laura, week 28)

'Ze wil soms de hele dag niet op de grond spelen. Als ze maar denkt dat ik haar neerzet, begint ze al te huilen. Ik draag haar nu de hele dag op mijn heup. Ze lacht ook ineens veel minder naar iedereen. Vorige week nog had iedereen recht op een brede lach. Nu doet ze dat duidelijk minder. Ze heeft dit al eens vaker gehad, maar dan kwam er na enige tijd toch wel een lachje. Nu absoluut niet meer.' (Nina, week 29)

'Een week vol strijd. Zoveel gehuil. Vijf minuten alléén spelen was al te veel. Als ik alleen maar de kamer uitliep, volgde al 'n huilbui. Ik heb hem vaak in de draagzak gehad. Maar toch 's avonds weer kermis met naar bed gaan. Na drie dagen was ik kapot. Het was te veel. Ik begon me ontzettend agressief te voelen. Waarschijnlijk werd dit een vicieuze cirkel. Ik passeerde echt een grens en ik voelde me alléén en zo dood- en doodmoe. Er sneuvelde ook van alles, liet het gewoon uit mijn handen vallen. Heb hem toen voor het eerst naar de crèche gebracht om zelf wat op adem te kunnen komen. Maar het ging niet goed, heb hem toen snel weer teruggehaald. Het deed me ontzettend pijn om hem weg te brengen, terwijl ik na lang wikken en wegen dat toch de beste oplossing vond. Ik ga té vaak, té ver over mijn grens en voel me dan alléén, agressief en opgesloten (benauwd). Verder zit ik vol twijfel of het aan mij ligt. Ik vraag me telkens af of ik te weinig structuur aanbreng, of ik hem te veel verwen.' (Bob, week 29)

Pas je aan de behoefte van je baby aan. Zorg dat hij de gelegenheid krijgt om aan de nieuwe situatie te wennen. Dat hij voelt dat je er bent, als hij je echt nodig heeft. Je kunt je baby helpen door hem wat vaker te dragen, of hem dichtbij je in je buurt te houden. Je kunt hem vertellen wat je gaat doen vóór je wegloopt en tegen hem blijven praten terwijl je wegloopt en als je in een andere kamer bent. Hij leert zo dat je er toch nog bent, ook al ziet hij je niet meer.
Verder kun je veel kiekeboespelletjes spelen en zo het weggaan oefenen. Je kunt dat doen achter een krant, terwijl je naast de baby zit. Je kunt het doen achter de bank dichtbij de baby, achter de kast wat verder weg, en tenslotte bij de deur.

Geef je baby de gelegenheid zélf achter je aan te gaan
Als je baby redelijk kan kruipen, kun je hem aanmoedigen en de gelegenheid geven je te volgen. Dat kun je het beste als volgt doen. Eerst kondig je aan dat je vertrekt. Dan leert je baby dat hij jou niet in de gaten hoeft te houden, maar dat hij rustig kan blijven spelen. Dan loop je langzaam weg, zodat hij je kan volgen. Pas je snelheid altijd aan die van je baby aan. Hij

leert dan dat hijzelf de afstand tussen zijn moeder en zichzelf onder controle kan houden. Bovendien zal hij je sneller vertrouwen en je minder tot 'last' zijn.

> 'Eerst klampte hij zich als een aapje aan mijn been vast en zat hij op mijn schoen als ik liep. Overal sleurde ik dat "blok aan 't been" mee naar toe. Na een paar dagen bleef hij soms even achter als ik een paar stappen opzij deed en kroop daarna pas naar mij toe. Nu kan ik naar de keuken gaan als hij rondkruipt. Alleen als ik dan in de keuken blíjf, komt hij op een bepaald moment een kijkje nemen. Hij kruipt nu trouwens perfect op handen en knieën en heeft 'n flinke snelheid.' (Bob, week 31)

Zijn wens om dicht bij je te blijven is vaak zo groot, dat ook de onervaren kruiper er graag wat extra oefening voor over heeft en dus tegelijkertijd zijn kruipen verbetert. Op deze leeftijd kan hij dat immers doen, omdat hij nu voelt dat hij de bewegingen van zijn lijf en ledematen op elkaar kan afstemmen. Zo vang je twee vliegen in één klap.

Laat hem met jou als basis kleine uitstapjes maken

Alle baby's die kunnen kruipen, zullen op deze leeftijd rond moeder blijven cirkelen en telkens weer even contact met haar zoeken. Als je baby al behoorlijk kon kruipen voordat zijn ontwikkeling deze sprong maakte, merk je duidelijk het verschil. Hij bleef toen langer weg.

> 'Hij kruipt vaak weg en terug. Zit dan even onder mijn stoel. Hij blijft trouwens ook dichter bij me dan hij eerst deed.' (Jan, week 31)

Geef je baby de gelegenheid om met jou als middelpunt met afstanden te spelen. Ga eens op de grond zitten. Je zult dan merken dat hij zijn uitstapjes voortdurend onderbreekt en over je heen komt gekropen.

Zijn jongens toch anders dan meisjes?

Het lijkt erop dat moeders van jongens het moeilijker hebben met hun baby dan moeders van meisjes. En wel omdat ze vaak niet snappen wat hun zoon eigenlijk wil. Wil hij nou bij mama zijn of niet?

> 'Vaak mekkert hij om contact en aandacht. Ik reageer daar iedere keer op. Maar als ik hem oppak om samen een spelletje of zo te doen, is dat ook weer niet de bedoeling. Dan ziet hij weer wat en dát is wat hij dan weer wil en waar hij zich weer mekkerend naar toe duwt. Het lijkt wel of hij twee dingen wil: "mij" en "exploreren". Maar van het laatste maakt hij liefst een bende. Hij grijpt alles vrij "ruw" en smijt het aan de kant. Zo werkt hij het liefst het hele huis af. Ik had hem graag wat "knuffeliger" gewild. Wat kletsen, 'n spelletje: gewoon meer ge-

zellig samen iets doen. En wat lachen. Het enige wat ik nu doe is voorkómen dat er ongelukken gebeuren. Soms heb ik het gevoel dat ik zelf niet "aan mijn trekken kom".' (Thijs, week 32)

Moeders die jongens en meisjes hebben, vinden meestal dat je met een meisje meer 'kunt doen'. Dat je beter aanvoelt wat een meisje wil. Dat de interesses meer hetzelfde zijn. Dat het gezelliger is.

'Met haar kan ik meer "moedertje" spelen. Samen van alles doen. Als ik praat, luistert ze echt. Ze geniet van spelletjes en vraagt om meer. Haar broer was meer zelf bezig. Dit is knusser.' (Eefje, week 33)

Laat je baby kruipend bezig zijn met 'op', 'in' en 'onder'

Als je baby graag kruipt, laat hem dan vrij rondkruipen in een kamer waar dat geen kwaad kan. Kijk of hij het volgende ook doet.

'Ik vind het leuk om te volgen hoe hij speelt als hij in de kamer bezig is: Hij kruipt naar de bank, kijkt eronder, gaat zitten, kruipt in snelle vaart naar de kast, kruipt erin, weer rats weg, langs het vloerkleed, tilt het wat omhoog, kijkt eronder, gaat op weg naar een stoel waar hij onder klimt, roets weer naar 'n andere kast, kruipt erin, raakt klem, huilt even, vindt zijn weg er weer uit en doet het deurtje dicht.' (Steven, week 30).

Als je baby óók zo bezig is, zou je wat leuke spullen kunnen neerzetten die hem uitlokken door te gaan. Zo kun je met (opgerolde) dekens, dekbedden of kussens, verhogingen maken waar hij *overheen* moet kruipen. Pas die verhogingen aan je baby aan. Je kunt een grote doos neerzetten waar hij makkelijk *in* kan kruipen, als je er een zijkant uitsnijdt. Je kunt van dozen of stoelen een tunneltje maken, waar hij *doorheen* moet. Je kunt van een laken een tentje maken waar hij *in*, *uit* of *onderdoor* kan kruipen. Veel baby's doen graag deuren open en dicht. Ook dat kun je inbouwen. En als je zelf meekruipt, is voor je baby het feest compleet. Varieer het geheel dan ook eens met kiekeboe- en verstopspelletjes.

Merk je dat je baby speelgoed 'verplaatst'?

Laat je baby spulletjes ergens *op*, *in*, *naast* of *onder* leggen. Laat hem speeltjes ergens *uit* of *overheen* gooien. Laat hem ze ergens *tussendoor* halen. Door zo bezig te zijn, experimenteert hij met die begrippen.

'Ze legt speelgoed, zoals kubusblokken, speentje of beestjes, op een mand. Als ze staat, pakt ze speelgoed van de grond en gooit het in de stoel. Ook duwt ze dingen tussen de spijlen door de box in. Als ze in de box is, gooit ze alles over de rand eruit. Ze bekijkt ook wat ze gedaan heeft. Ze is een bijdehante ka.' (Jetteke, week 30)

Geef je baby een eigen plank of kastje dat hij 'leeg kan halen' en waar je makkelijk het zaakje weer in kunt proppen. Geef hem een doos waar hij spullen *in* kan leggen. Draai een doos om, zodat hij daar wat *op* kan leggen. Laat hem speelgoed *tussen* de spijlen van de box door naar buiten werken of *over* de rand eruit gooien. Voor baby's die niet geïnteresseerd zijn in kruipen, is dit een ideale manier om ook bezig te zijn met begrippen als *op*, *in* en *uit*.

Vindt je baby het leuk om dingen om te gooien?

Hij zal dingen 'omgooien en laten vallen' om te kijken en horen hoe dat gebeurt. En misschien doet hij dat ook wel om te bestuderen hoe één ding uit elkaar valt in meerdere stukken. Je ziet hem met plezier blokkentorens omgooien, die jij telkens weer voor hem moet bouwen. Maar hij zal met evenveel genoegen hetzelfde doen met de prullenbak en de bakjes gevuld met brokjes en water voor de poes.

> 'Ze probeert uit hoe dingen vallen. Ze doet dat met allerlei soorten dingen. Haar speen, blokjes of beker. Ik heb haar toen een veertje gegeven van Pino, de parkiet. Dat was wel even een verrassing, maar het liefst hoort ze toch een hoop lawaai.' (Nina, week 28)

> 'Hij heeft vreselijk gelachen toen ik een bord uit mijn handen liet glijden, dat kletterend in stukken neerkwam. Nog nooit heb ik hem zo hard horen lachen.' (Jan, week 30)

Je baby kan proberen om dingen te rollen, zoals een bal of een vierkant, stoffen blok met geluid. Maak er een spelletje van en rol hem terug.

> 'Ze kan een lichte bal wat opgooien of rollen. Als ik die naar haar terug rol, pakt ze hem feilloos.' (Ashley, week 27)

Is hij geboeid door dingen waar iets in zit?

Hij zal geboeid zijn door 'dingen waar iets in zit', zoals een bal gevuld met een in het water zwemmende eend, een knuffel met een geluidje en een speelgoedpiano. Maar ook door flesjes met nagellak of parfum, een knopje dat het licht aandoet, een horloge.

> 'Ik hield een beer ondersteboven zodat er geluid uitkwam. Daarna zette ik de beer op de grond. De baby kroop er meteen naar toe en rolde hem om tot hij geluid maakte. Dat vond hij zó leuk, dat hij de beer keer op keer omrolde.' (Paul, week 33)

Zie je dat je baby speelgoed uit elkaar wil halen?

Je baby zal waarschijnlijk deze mogelijkheden in het speelgoed ontdekken. Zo zal hij speeltjes 'uit elkaar' willen halen, zoals stapelbekers, duplo, Fisher Price-kralen, veters uit schoenen. Hij zal pulken en trekken aan dingen die aan spullen en speelgoed vastzitten, zoals labels, etiketten, stickers, ogen en neus van knuffels en wielen, klepjes en deuren aan speelgoedauto's. Maar ook knopen aan kleren, knopjes en snoeren uit apparatuur of doppen op flessen worden zo mogelijk uit elkaar gehaald. Kortom, hij sloopt terwijl hij onderzoekt.

'Hij trekt voortdurend zijn sokjes uit.' (Dirk, week 31)

MAAK JE HUIS BABY-VEILIG
Bedenk dat je baby geboeid kan zijn door dingen die gevaarlijk zijn! Hij kan overal een vinger of tong insteken waar gaten of gleuven inzitten. Ook in gevaarlijke dingen zoals stopcontacten, elektrische apparatuur, afvoerputjes en hondemonden. Blijf daarom altijd bij je baby in de buurt, als hij vrij het huis inspecteert.

Vindt hij het leuk als dingen ergens in verdwijnen?

Soms zal een baby het één in iets anders willen doen. Maar dat lukt alleen bij toeval. Hij kan pas na de volgende sprong onderscheid maken tussen verschillende vormen en afmetingen.

'Ze probeert allerlei dingen in elkaar te zetten. Vaak klopt de maat dan wel, maar de vorm niet. Of soms doet ze het niet secuur genoeg. Ze wordt driftig als dit niet lukt.' (Jetteke, week 29)

'Hij heeft zijn neusgaten ontdekt. Stak er 'n onderzoekende vinger in. Hopelijk doet hij hetzelfde niet met 'n kraal!' (Jan, week 32)

Ook vindt je baby het leuk te zien hoe iets in iets anders verdwijnt.

'Ze bekijkt graag hoe de hond zijn bak leeg eet. Ligt er het liefst met haar neus bovenop. Ik vind dat best wel gevaarlijk, want de hond schrokt wat sneller bij zoveel aandacht. Aan de andere kant heeft de hond ook plotseling veel aandacht voor haar als ze eet. Als ze in haar kinderstoel aan tafel zit, zit de hond naast haar. Wat blijkt? Ze laat stukjes brood vallen en bekijkt hoe ze verdwijnen.' (Laura, week 31)

Begrijpt je baby korte zinnen en gebaren?

Je baby kan nu de relatie begrijpen tussen een korte zin en zijn betekenis en tussen een gebaar en zijn betekenis. Verder kan hij nu ook de relatie tussen een woord en een gebaar snappen. Het spreekt vanzelf dat je baby deze dingen alléén maar begrijpt in zijn eigen omgeving en binnen de routine van alledag. Zou je diezelfde zinnen in een vreemde situatie op een bandrecorder afspelen, dan zou je baby er niets van begrijpen. Die vaardigheid komt pas veel later.
Toch kan je baby ook nu, met zijn nog beperkte vaardigheid, al veel nieuwe dingen leren. Als hij graag met woorden en gebaren bezig is, speel dan in op zijn interesses. Moedig je baby aan om te begrijpen wat je zegt. Maak korte zinnen met duidelijke gebaren. Leg veel uit. Laat zien, voelen, ruiken en proeven wat je zegt. Hij begrijpt meer dan je denkt.

'Ik heb één keer gezegd dat hij naar het konijn (= een fontein) in de vijver moest kijken (daar borrelt dan water uit) en hij wist al wat ik bedoelde. Hij luistert dan ook heel aandachtig.' (Paul, week 26)

'Ik heb het gevoel dat hij het snapt, als ik iets uitleg of voorstel. Zoals: "Zullen we eens heerlijk naar buiten gaan?" of "Ik geloof dat het bedtijd is." Dat laatste hoort hij duidelijk minder graag.' (Bob, week 30)

'Als wij zeggen: "Klap eens in je handjes", dan doet ze dat. En als we zeggen: "Ga eens springen", dan zakt ze door de knieën en springt omhoog. Ze komt niet met haar voetjes van de grond.' (Jetteke, week 32)

'Als ik zeg "Zwaai eens", doet ze dat. Ze zwaait nu trouwens echt naar iemand. Ze zwaait ook terug als een ander zwaait. Tot nu toe zwaaide ze wel als ik zei: "Dag, doe maar daaag", terwijl ik zwaaide naar papa die wegging, maar ze bleef naar mijn hand kijken. Nu weet ze duidelijk dat ze naar papa zwaait.' (Xara, week 32)

Begint je baby 'woorden' of gebaren te gebruiken?

Hij kan nu de relatie tussen een geluid (of woord) en een gebeurtenis gaan begrijpen. Bijvoorbeeld: 'boem' hoort bij een val. Ook kan hij de relatie tussen een gebaar en een 'gebeurtenis' leren. Maar hij kan nog méér. Hij kan ze ook zelf leren gebruiken. Als je baby met woorden of gebaren iets 'zegt' of 'vraagt', laat hem dan duidelijk weten dat je dol enthousiast bent dat hij dat kan. Speel er op in en praat en gebaar terug. De belangrijkste manier waarop je je baby kunt leren praten, is door zelf veel met hem te praten. Door de alledaagse dingen te benoemen. Door vragen te stellen, zoals: 'Wil je een boterham?', als je zijn bordje neerzet. Door versjes te laten horen en zangspelletjes met hem te spelen. Kortom, door praten aantrekkelijk voor hem te maken.

'Als hij iets wil doen, legt hij zijn hand erop en kijkt me aan. Het lijkt of hij wil vragen: "Mag dat?". Ook "nee" snapt hij. Hij zal 't toch vaak proberen, maar hij weet dat "nee" ook "nee" inhoudt.' (Bob, week 32)

'Vorige week zei ze voor het eerst "boe" (= boem) als ze viel, en heel duidelijk "aai' als ze de katten aait of ons. We merkten ook duidelijk dat ze allerlei klanken van ons overnam, dus zijn we begonnen om haar te leren praten. Ze begint nu met klanken zogenaamde woorden te vormen. Bijvoorbeeld: "baba" = papa, "Poe" = Poemel, de hond, "Bè" = Bert uit Sesamstraat.' (Jetteke, week 29)

'Ze is een echte babbelaar. Ze kletst vooral bij 't kruipen, bij herkenning van iemand of iets. Ze doet het tegen haar knuffels en tegen ons als ze op schoot zit. Het lijkt of ze hele verhalen vertelt. Ze gebruikt allerlei medeklinkers en klinkers en varieert ze eindeloos.' (Odine, week 29)

'Hij schudt "nee" en maakt er een geluidje bij. Als ik hem nadoe, moet hij vreselijk lachen.' (Paul, week 28)

HET EERSTE 'WOORDJE'

Als je baby het vermogen tot het waarnemen van en spelen met 'relaties' heeft gekregen, kán hij zijn eerste 'woordjes' gaan zeggen. Dit wil niet zeggen dat hij dat ook doet. De leeftijd waarop baby's 'woorden' gaan gebruiken, kan heel verschillend zijn. Maak je dus niet bezorgd als hij dat nog een paar maanden uitstelt.

Kijkt je baby graag in boekjes?
Als je baby met plezier kletst, kijkt hij meestal ook graag naar plaatjes in boekjes. Speel daarop in. Laat hem zelf een boekje kiezen. Hij heeft meestal een voorkeur. Sommige baby's lezen boekjes om het open-en-dicht slaan te oefenen. Anderen om naar de plaatjes te kijken.

'Hij pakt vaak een plastic prentenboekje, klapt het steeds open en dicht en bekijkt de plaatjes met een puntig mondje.' (Paul, week 29)

'Ze pakt zelf een boekje dat ze interessant vindt, en bekijkt de plaatjes heel aandachtig. Ze slaat ook zelf een bladzijde om.' (Jetteke, week 27)

'Ze heeft het grootste plezier als ik de geluiden maak, die bij het dier horen waar zij naar kijkt.' (Nina, week 30)

Danst en zingt je baby al?
Als je baby reageert op muziek, doe dan veel zang-, dans- en klapliedjes. Je baby oefent zo met woorden en gebaren. Als je weinig kinderliedjes kent, kun je een muziekcassette aanschaffen.

'Toen we tijdens het babyzwemmen liedjes zongen, zong ze ineens mee.' (Xara, week 30)

'Als ze muziek hoort of als ik ga zingen, dan begint ze meteen te wippen op haar beentjes en met haar buikje.' (Eefje, week 32)

Gaat je baby zelf zitten: Hoe is zijn evenwicht?

'Hij heeft zitten geleerd. Ging eerst op één bil zitten met twee handjes op de grond. Toen een handje los en zit nu zonder zijn handen te gebruiken.' (Thijs, week 25)

'Ze zit al zó stevig, dat ze durft te grijpen naar dingen boven haar hoofd zonder haar evenwicht te verliezen, zoals vorige week. Ook pakt ze soms wat, houdt het boven haar hoofd met twee handjes en gooit het dan weg.' (Jetteke, week 28)

'Als hij gaat zitten, rolt hij vaak door of terug. Ook valt hij naar voren of achteren. Als dat gebeurt, lach ik snel. Vaak lacht hij dan ook.' (Bob, week 26)

Help je baby als hij wiebelig zit. Probeer of hij wat zekerder wordt door hem op een speelse manier te laten voelen hoe hij het stevigst zit en hoe hij zijn evenwicht kan herstellen, als hij dreigt te vallen.

Gaat je baby zelf staan: Hoe is zijn evenwicht?

'Ze probeerde zich deze week geregeld op te trekken en ineens lukte het haar. Ze had zich in haar bedje opgetrokken en ging prompt staan. Bleef ook staan. Nu kan ze het echt. Ze trekt zich op aan bed, box, tafel, stoel en benen. Ook pakt ze staande voor de box met één hand speelgoed uit de box.' (Jetteke, week 28)

'Ze is voor het eerst gaan staan in de box, maar ze weet niet hoe ze terug moet. Vermoeiend. Vandaag stond ze voor het eerst in haar bedje te roepen. Dit irriteert me. In bed moet ze gaan slapen. Ik hoop maar dat het niet te lang duurt en dat ze snel leert hoe ze weer naar beneden kan komen.' (Juliette, week 31)

'Ze wil per se hebben dat ik haar terugzet als ze staat. Haar zus mag het niet doen, terwijl die toch een heleboel dingen wel mag. Ze is duidelijk bang dat die het niet goed genoeg doet.' (Ashley, week 32)

'Wij zetten hem wel eens neer aan de tafel. Hij staat dan heel onzeker, zwalkt soms als een marionet aan een touwtje en dreigt geregeld te vallen.' (Steven, week 31)

Help je baby als hij wiebelig zit of staat, of als hij bang is om te vallen. Speel evenwichtsspelletjes met hem. Deze maken hem vertrouwd met zijn verticale positie. Voor de meest geliefde evenwichtsspelletjes kun je kijken bij: 'Speltoppers van relaties'.

Loopt je baby met steun: Hoe is zijn evenwicht?

'Ze loopt keurig evenwichtig tussen twee handen in. Ze steekt over van de stoel naar de televisie als ze staat. Ze loopt langs de tafel, om de bochten heen. Ze stapt achter een Pamperdoos door de kamer. Gisteren schoof de doos weg en ze deed drie pasjes los.' (Jetteke, week 34)

'Ik erger me aan zijn langzame motoriek. Hij kruipt niet, trekt zich niet op. Hij zit maar te zitten.' (Dirk, week 29)

Als je merkt dat je baby wil lopen, help hem dan. Houd hem goed vast, want zijn evenwicht is meestal wankel. Speel spelletjes met hem die hem vertrouwd maken met het bewaren van zijn evenwicht, óók als hij zijn gewicht verplaatst van het ene been naar het andere. Ga nooit urenlang met hem lopen. Hij leert het daardoor heus niet sneller. Je baby gaat pas lopen als hij dat kán en dúrft.

ALLEEN MET DE JUISTE LICHAAMSBOUW KAN JE BABY LEREN LOPEN

Als je baby het vermogen tot het waarnemen van en spelen met 'relaties' heeft gekregen, kan hij begrijpen wat 'lopen' is. Maar begrijpen alleen is niet voldoende om het ook te gaan doen. Om écht te gaan lopen moet hij een lichaam hebben dat aan verschillende eisen voldoet. Je baby zal alleen dán leren lopen, wanneer de verhoudingen tussen de zwaarte van zijn botten, zijn spiermassa en de lengte van zijn armen en benen ten opzichte van zijn romp 'ideaal' zijn. En ideaal hoeft ook niet 'mooi' te betekenen.

Speelt je baby met 'relaties' tussen lichaamsdelen?

Je baby kan nu twee vingers in relatie tot elkaar brengen, bijvoorbeeld zijn duim en wijsvinger. Als hij daardoor geboeid is, kan hij hele kleine dingen als pluizen van het vloerkleed leren pakken. Hij kan grasstengeltjes gaan plukken. Hij zal met zijn wijsvinger gaan voelen over allerlei oppervlakten. En kleinere speeltjes gaan bestuderen, omdat hij die nu tussen zijn vingers kan pakken, in plaats van met de volle hand.

> 'Ze gaat de hele kamer rond en ziet de kleinste oneffenheden of kruimels op de vloer, pakt die met duim en wijsvinger op en steekt ze in haar mond. Ik moet nu dus goed op gaan letten dat ze geen rare dingen eet. Ik laat haar nu zelf kleine stukjes brood eten. Eerst stak ze steeds het duimpje in de mond in plaats van het brood dat tussen haar vingers zat. Het gaat nu wat beter.' (Odine, week 32)

Je baby kan nu ook de relatie gaan begrijpen tussen datgene wat zijn ene hand doet en wat zijn andere hand doet. Hij heeft de bewegingen van beide handen beter onder controle. Hierdoor kan hij ze allebei tegelijk gaan gebruiken. Moedig je baby aan om met beide handen tegelijk bezig te zijn. Laat hem in elke hand een speeltje vasthouden en ze tegen elkaar slaan. Hij kan ook zonder een speeltje die sla-beweging maken en dus in zijn handen klappen. Probeer dat eens. Laat hem met speeltjes op de grond of tegen de muur slaan. Moedig hem aan om speelgoed van de ene in de andere hand te pakken. En laat hem twee speeltjes tegelijk neerzetten en ze weer oppakken.

> 'Ze heeft de slaan-ziekte. Ramt op alles wat los en vast zit.' (Jetteke, week 29)

SPELTOPPERS VAN 'RELATIES'
Dit zijn spelletjes en oefeningen die inspelen op het nieuwe vermogen en die bij bijna alle 26-34 (plus of minus 1-2) weken oude baby's favoriet zijn.

Kiekeboe en verstopspelletjes
Op deze leeftijd is dit een héél geliefd spelletje. Het kan eindeloos worden gevarieerd.

Kiekeboe met een zakdoek
Leg een zakdoek over je hoofd en kijk of de baby die eraf trekt. Ondertussen kun je vragen: 'Waar is mama dan?' Je baby weet dan dat je er nog bent, want hij kan je horen. Als hij geen poging doet om de zakdoek weg te trekken, pak je zijn hand en trek je samen de zakdoek eraf. Zeg 'kiekeboe' als je te voorschijn komt.

Kiekeboe met variatie
Bedek je gezicht met je handen en haal ze weg, of duik eens op vanachter een krant of boek dat je tussen jou en de baby houdt. Ook te voorschijn komen vanachter een plant of onder een tafel vandaan vinden baby's leuk. Ze kunnen immers stukjes van je blijven zien.

Verstop je ook eens helemaal
Verstop jezelf op een opvallende plaats, bijvoorbeeld achter een gordijn. Hij kan dan de bewegingen van het gordijn blijven volgen.

Zorg dat je baby ziet dat je verdwijnt. Kondig bijvoorbeeld aan dat jij je verstopt (voor niet-kruipers) of dat hij je moet komen zoeken (bij kruipers). Als hij niet gekeken heeft of even werd afgeleid door iets anders, roep dan zijn naam. Doe het ook eens in de deuropening. Hij leert op deze manier dat 'weggaan' wordt gevolgd door 'terugkomen'. Beloon hem iedere keer als hij je gevonden heeft. Til hem hoog op of knuffel hem, net wat hij het fijnst vindt.

Waar is de baby?
Veel baby's ontdekken zelf dat ze zich achter of onder iets kunnen verstoppen. Meestal beginnen ze met zelf een doekje of kledingstuk te pakken als ze verschoond worden. Ga daar altijd op in. Hij leert zo dat hij de actieve partij kan worden in een spelletje.

Speelgoed verstoppen
Verstop ook eens speeltjes onder een zakdoek. Je moet dan wel iets nemen dat je baby leuk vindt, of iets waar hij aan gehecht is. Laat hem zien waar en hoe je het verstopt. En maak het de eerste keer makkelijk voor hem. Zorg dat hij een klein stukje van het speeltje kan blijven zien.

Speelgoed verstoppen in bad
Gebruik badschuim in bad en laat je baby ermee spelen. Verstop dan ook eens speelgoed onder het schuim en nodig hem uit om het te zoeken. Als hij kan blazen, blaas dan eens in het schuim. Geef dan het rietje en lok hem uit hetzelfde te doen.

Praten aanmoedigen
Je kunt praten aantrekkelijk maken door veel tegen hem te praten, naar hem te luisteren, samen boekjes te 'lezen' en fluister-, zang- en woordspelletjes met hem te spelen.

Samen prentenboeken kijken
Neem je baby op schoot, dat vindt hij meestal het gezelligst. Laat hem een boekje kiezen, dat je samen gaat bekijken. Benoem wat je baby ziet. Als je een dierenboekje leest, imiteer dan ook de geluiden die dat dier maakt. Baby's vinden het meestal heerlijk om moeder te horen blaffen, loeien en kwaken. Het zijn trouwens geluiden die je baby ook kan imiteren. Hij kan dan écht meedoen. Laat hem de bladzijden zelf omslaan als hij dat wil.

Fluisterspelletje
De meeste baby's vinden het prachtig als er klanken of woorden in hun oor worden gefluisterd. Misschien mede omdat baby's nu zelf kunnen leren blazen en ze daardoor extra geïnteresseerd zijn in kleine blaasstootjes, die in hun oor kietelen.

Zang- en bewegingsspelletjes
Deze spelletjes kun je gebruiken om zowel het praten als het zingen aan te moedigen. Ook het evenwicht bewaren wordt ermee geoefend.

Hop, hop, hop, mijn paardje
Zet je baby rechtop op je knieën met zijn gezicht naar je toe. Steun hem onder de armen en hobbel hem zachtjes op en neer, zingend:

Hop, hop, hop, mijn paardje,
Is er iemand thuis?

(als je baby 'ja' kan knikken, lok hem dan daartoe uit)

Ja, mijn kleine (baby's naam),
Die past op het huis.

Zo gaat 'n herenpaard
Zet je baby rechtop op je knieën met zijn gezicht naar je toe. Steun hem onder de armen en zeg het volgende versje op:

Zo gaat 'n herenpaard, 'n herenpaard, 'n herenpaard,

(Praat langzaam en statig en hobbel langzaam en statig op en neer)

Zo gaat 'n damespaard, 'n damespaard, 'n damespaard,

(Praat sneller en hobbel sneller op en neer)

Zo gaat 'n boerenknol, 'n boerenknol, 'n boerenknol,

(Praat vermoeid en beweeg je baby naar links en naar rechts)

Gat in de weg.

(Het gat komt als een 'verrassing'. Doe je knieën uit elkaar en laat je baby een stukje naar beneden glijden.)

Evenwichtsspelletjes
Veel zangspelletjes zijn ook evenwichtsspelletjes.

Zitspelletje
Ga makkelijk zitten. Neem je baby op je knieën. Pak zijn handen en beweeg hem zachtjes naar links en naar rechts, zodat hij steeds op één bil zit. Laat hem ook eens voorzichtig vóórover en achterover hellen. Baby's vinden dat laatste het spannendst. Je kunt hem ook rond bewegen. Dus: naar links, achterover, naar rechts en naar voren. Pas je aan je baby aan. Het moet nét spannend genoeg zijn. Er bestaat een liedje dat je zou kunnen zingen, als je deze oefening doet: 'Van vóór naar achter, van links naar rechts.' Maar je kunt hem ook de slinger van een klok laten zijn. Zeg dan: 'Bim, bam, bim, bam' bij iedere volgende beweging.

Staspelletje
Ga tegenover je baby op je knieën zitten. Pak zijn handen of heupen en beweeg hem zachtjes naar links en naar rechts, zodat hij steeds op één been staat. Doe hetzelfde ook van vóór naar achter. Pas je aan je baby aan. Het moet hem net genoeg uitdagen om zelf zijn balans te zoeken.

Vliegen
Pak je baby stevig vast en laat hem door de kamer 'vliegen'. Laat hem stijgen en dalen. Laat hem naar rechts en links draaien. Laat hem kleine rondjes vliegen en rechte stukken. En laat hem ook eens áchteruitgaan. Varieer zo veel mogelijk en varieer ook in de snelheid. Als je baby het leuk vindt, laat hem dan ook eens voorzichtig 'op de kop' landen. Natuurlijk begeleid je de hele vlucht met een gevarieerd zoem-, brom- of gilgeluid.

Op de kop staan
Stoeikunstjes zijn favoriet bij de meeste, lichamelijk actieve baby's. Toch zijn er ook baby's voor wie het 'op de kop' staan toch té spannend is. Speel het dus alleen als je baby er plezier aan beleeft. Het is een goede gymnastiek voor hem.

Spelen met speelgoed
De leukste spelletjes zijn nu kasten en planken leeghalen, speeltjes weggooien en speeltjes laten vallen.

Baby's eigen kastje
Richt een kastje in voor je baby en stop dat vol spullen, die je baby super aantrekkelijk vindt. Dat zijn meestal lege doosjes, lege eierdozen, lege w.c.-rollen, plastic borden, doorzichtige plastic flesjes met iets erin. Verder dingen waar veel herrie mee gemaakt kan worden, zoals een pan, houten lepels en een oude sleutelbos.

Iets kletterend laten vallen
Baby's horen graag een hoop lawaai, als ze iets laten vallen. Als je baby erg weinig doet in die richting, zou je 'iets-laten-vallen' aantrekkelijker voor hem kunnen maken. Zet je baby in de kinderstoel en leg een metalen dienblad op de grond. Geef hem blokjes aan, die hij dan gericht op dat blad moet laten vallen.

Laten vallen en zelf ophalen
Zet je baby in de kinderstoel. Bind aan een kort touwtje enkele speeltjes vast. Als hij ze overboord gooit, leer hem dan hoe hij ze weer omhoog kan hijsen.

Samen op de fiets
Je baby zit graag vóór op de fiets. Zorg ervoor dat hij in een stevig zitje zit, zodat zijn rug steun heeft. Vertel hem wat hij ziet en stop even, als je merkt dat hij iets beter wil bekijken. Je kunt ook een windmolentje aan het stuur binden.

Babyzwemmen
Veel baby's vinden het heerlijk om in het water te spelen. Sommige zwembaden hebben speciale verwarmde baden voor jonge kinderen. Of speciale uren waarop een groepje baby's met hun moeders spelletjes doen in het water.

Naar de kinderboerderij
Een bezoekje aan de kinderboerderij, een hertenkamp of eendenvijver kan heel spannend zijn voor je baby. Hij ziet de dieren uit zijn prentenboek. Hij kijkt graag naar waggelende, trippelende of springende manieren van lopen. En wat hij bijzonder graag doet, is de dieren voeren en kijken hoe ze eten.

SPEELGOED EN HUISRAAD DAT HET MEEST BOEIT
Dit zijn speeltjes en spulletjes die inspelen op het nieuwe vermogen en die bij bijna alle 26-34 (plus of minus 1-2) weken oude baby's favoriet zijn:

- Eigen kastje of plank.
- Deuren.
- Kartonnen dozen in allerlei formaten, denk ook eens aan een lege eierdoos.
- Houten lepels.
- Stapelbekers (ronde).
- Houten blokken.
- Fisher Price-kralen.
- Duplostenen.
- Bal, die zo licht is dat hij hem kan rollen.
- Prentenboeken.
- Fotoboeken.
- Muziekcassette.
- Badspulletjes: dingen om te vullen en leeg te gieten, zoals plastic flesjes, plastic bekers, plastic vergiet, trechter.
- Auto met wielen die kunnen draaien, deuren die geopend kunnen worden.
- Knuffel die geluid maakt als je hem omdraait.
- Piepbeestje.
- Trommel.
- (Speelgoed) piano.
- (Speelgoed) telefoon.

Let op! Zet weg of beveilig:

- Stopcontacten.
- Stekkers.
- Snoeren.
- Sleutelbossen.
- Afvoerputjes.
- Trappen.
- Flesjes (zoals parfum, nagellak, 'remover').
- Tubes.
- Geluidsinstallaties.
- Afstandsbediening, televisie en video.
- Planten.
- (Prullen)bakken.
- Wekkers en horloges.

Conflicten met je baby

Als je baby bezig is het vermogen tot het waarnemen van en spelen met 'relaties' uit te werken, kan hij ook gedrag gaan vertonen dat je ergert.

> **NOG EVEN DIT**
> Ook afleren van oude gewoontes en aanleren van nieuwe regels horen bij de uitwerking van ieder nieuw vermogen. Dát wat je baby nu nieuw begrijpt, kun je ook van hem eisen. Niet méér, maar ook niet minder.

Constant hangen aan moeder is lastig
Moeders gaan zich geleidelijk aan meer ergeren, als ze niet de gelegenheid krijgen met hun normale (huishoudelijke) bezigheden door te gaan. Als hun baby 29 weken oud is geweest, proberen de meeste moeders de afstand langzaam te vergroten door de baby af te leiden, even te laten huilen of door hem in bed te leggen.
Houd rekening met wat je baby aankan. Voor hem kan deze periode ook beangstigend zijn.

> 'Vreselijk irritant zoals hij rond mijn benen hangt als ik moet koken. Het lijkt wel of hij dan juist nog vervelender is. Heb hem toen in bed gelegd.' (Rudolf, week 30)

Irritaties rond maaltijden
Op deze leeftijd dringt het tot baby's door, dat het ene voedsel lekkerder is dan het andere. En waarom zou hij dan niet het lekkere kiezen? Veel moeders vinden het eerst grappig en dan snel vervelend, als de baby niet alles meer lust. Ze vragen zich af of de baby wel genoeg binnenkrijgt. Ze leiden de lastige eter af, om op een onverwacht moment een lepel in zijn mond te proppen. Of ze lopen de hele dag met 'eten' achter hem aan. Doe dat niet. Baby's met een sterke eigen wil verzetten zich steeds feller tegen iets dat hun wordt opgedrongen. En een bezorgde moeder reageert daar dan weer op. Maaltijden worden zo een hele strijd.

Stop die strijd. Een baby die niet wil eten, kun je niet dwingen te slikken. Probeer dat dan ook niet. Als je dat wél doet, zul je zijn afkeer tegen alles wat met eten te maken heeft vergroten. Stap over op een andere tactiek en maak daarbij gebruik van de nieuwste vaardigheden van de baby. Hij kan nu tussen duim en wijsvinger iets vastpakken, maar hij heeft nog een hoop oefening nodig. Het is dus goed voor zijn coördinatie om zelf te

eten. Hij wil eigen beslissingen nemen en de vrijheid om zelf te eten, maakt het eten plezieriger. Speel daarop in. Laat hem ook zelf eten, terwijl je hem voert. Dit kan nogal een rommeltje worden, maar moedig het wel aan. Leg steeds twee stukjes op zijn bordje, zodat hij zelf ook bezig is. Meestal laat hij zich dan tussendoor makkelijk voeren. Je kunt je baby's plezier nog verhogen door hem voor een spiegel te laten eten. Hij kan dan zien hoe hijzelf iets in zijn mond steekt. Hoe jij iets in jouw mond steekt en hoe jij het in zijn mond steekt. Maak je geen zorgen als het niet meteen goed gaat. Veel baby's gaan door eetproblemen heen. En ze komen er ook weer uit.
Ook gewoontes bij het eten worden door de ene moeder als ergerlijk ervaren, terwijl de andere ze heel normaal vindt.

> 'Wat me mateloos irriteert, is dat ze na iedere hap eten haar duim in haar mond wil stoppen. Mag ze niet van mij! Klein strijdpuntje!' (Ashley, week 29)

> 'Ik heb hem altijd aan de borst in slaap gesust. Maar ik erger me daar nu aan. Ik vind hem nu groot genoeg om gewoon naar bed te gaan. Mijn man wil hem er ook wel eens in leggen en dat kan nu niet. Je weet trouwens nooit, het kan wel eens door een ander móeten gebeuren. Ik ben nu begonnen hem eraan te wennen om één keer per dag gewoon in bed gelegd te worden. Hij protesteert wel.' (Thijs, week 31)

Overal aankomen en niet luisteren is lastig

Veel moeders moeten ineens veel vaker dingen verbieden, als de baby bezig is met de uitwerking van de sprong. Zeker een kruipende baby komt overal aan.

> 'Ik moet constant dingen verbieden. Ze raast van het één naar het ander. In trek waren vooral: het wijnrek, de video, mijn handwerkpakket, kasten en planken of schoenen. Een andere hobby was het omvertrekken van planten, planten uitgraven en kattebrokjes eten. Ik kan haar blijven waarschuwen. Dus heb ik haar ook wel eens een tik gegeven, als ik het genoeg vond.' (Jetteke, week 31)

Ongeduldig zijn is lastig

Baby's kunnen ongeduldig zijn om meerdere redenen. Ze willen niet wachten met eten. Ze worden boos als iets niet lukt. Als iets verboden wordt. Als moeder niet gauw genoeg naar ze kijkt.

> 'Ze wordt erg ongeduldig. Ze wil alles hebben en wordt ontzettend boos, als ze ergens niet bij kan en ik "nee" zeg. Dan zet ze het echt op een krijsen. Dat irriteert me en dan denk ik dat ze het doet omdat ik werk. Bij de oppas is ze veel liever.' (Laura, week 31)

> 'Ik heb haar deze week in bed gelegd, toen ze vreselijk zat te mopperen en te schreeuwen tijdens het eten geven. Het gaat haar dan niet snel genoeg en dan begint ze na elke hap te schreeuwen en te draaien en te wriemelen, enzovoort. Toen ik na een minuut of vijf mijn boosheid kwijt was, zijn we weer verder gegaan. En iedereen was bedaard.' (Ashley, week 28)

De sprong is genomen

Tussen 30 en 35 weken breekt weer een makkelijke periode aan. Dan wordt de baby één tot drie weken lang geprezen om zijn vrolijkheid, zelfstandigheid en zijn vooruitgang.

'Haar eenkennigheid wordt steeds minder. Ze lacht veel. En ze kan zichzelf goed vermaken. Ze is weer heel beweeglijk en ondernemend. Eigenlijk begon deze verandering vorige week al, maar hij gaat nog steeds door.' (Xara, week 33)

'Doordat zij zo lief was, leek het een heel ander kind. Voorheen huilde en dreinde ze nogal vaak. Ook de manier waarop ze verhalen vertelt is bijzonder leuk. Het is eigenlijk al een kleine peuter, zoals ze door de kamer stapt achter haar doos aan.' (Jetteke, week 35)

'Dirk was bijzonder vrolijk, dus was het niet moeilijk om van hem te genieten. Het doet me ook goed dat hij lichamelijk wat actiever en levendiger wordt. Maar als hij mensen kan observeren, is hij op zijn best. Hij is ook zeer praterig. Een zalig jochie.' (Dirk, week 30)

'Ze is duidelijk groter en ouder geworden. Ze reageert op alles wat we doen. Ze volgt alles. Ze wil overigens ook alles hebben wat wij hebben. Je zou bijna zeggen: "Ze wil er duidelijk bij horen." ' (Ashley, week 34)

'Heerlijk, wat rust na een lange periode vol veranderingen. Een heerlijk weekje. Hij is weer veranderd. Hij huilt minder, slaapt méér. Wéér ontstaat er een bepaald ritme, voor de zoveelste keer. Ik praat veel meer met hem. Ik merk dat ik alles uitleg wat ik doe. Als ik zijn fles ga klaarmaken, zeg ik dat. Als hij naar bed gaat, zeg ik dat hij lekker gaat slapen en dat ik in de kamer zit en hem er straks weer uithaal. Ik vertel waarom hij even moet slapen. En dat vertellen doet me goed. De crèche gaat nu ook goed.' (Bob, week 30)

'Mijn contact met hem voelt anders aan. Alsof de navelstreng nu is doorgeknipt. Het totaal afhankelijke is er ook af. Ik vertrouw hem makkelijker aan een oppas toe. Ik merk ook dat ik hem meer zelfstandigheid geef. Ik zit er minder bovenop.' (Bob, week 31)

'Een gezellige week. Hij is vrolijk, kan zich vrij goed alleen amuseren met zijn speelgoed. Op de crèche blijft 't prima gaan. Hij reageert vrolijk op andere kinderen. Eet prima. Het is een lekker kereltje, is veel meer een eigen persoontje.' (Bob, week 32)

foto

Na de sprong

Leeftijd : ....

Wat opvalt : ....

Lief en leef rond 37 weken

Rond 37 (36-40) weken begin je te merken dat je baby er een nieuw vermogen heeft bijgekregen. Je ontdekt dat hij dingen doet of wil doen die nieuw voor hem zijn. Hij laat daarmee zien, dat zijn ontwikkeling een sprongetje maakt. Hijzelf heeft die sprong al eerder gevoeld.
Rond 34 (32-37) weken wordt je baby weer hangeriger dan hij de laatste één tot drie weken was. Hij merkt dat zijn wereld anders is dan hij dacht, dat hij hem anders beleeft dan hij gewend is. Hij merkt dat hij dingen ziet, hoort, ruikt, proeft en voelt die onbekend voor hem zijn. Hij raakt daardoor van slag en klampt zich zo goed als hij kan vast aan de meest vertrouwde, veilige plek die hij kent. Mama. Deze hangerige periode duurt bij de meeste baby's vier weken, maar kan ook drie tot zes weken duren.

OM TE ONTHOUDEN
Als jouw baby 'hangerig' is, let dan alvast op nieuwe vaardigheden of pogingen daartoe.

De sprong kondigt zich aan: terug naar mama

Alle baby's zijn huileriger dan ze de laatste week of weken waren. Ze worden mopperig, zeurderig, pieperig, dreinerig, chagrijnig, ontevreden, ongedurig, onrustig en ongeduldig genoemd. Eigenlijk heel begrijpelijk.

De baby's staan nu onder éxtra spanning. Sinds de vorige sprong begrijpen baby's dat moeder de afstand tussen hen en haar vergroot als ze wegloopt. Aanvankelijk hadden veel baby's het daar tijdelijk moeilijk mee, maar door de weken heen hebben zij er, op hun eigen manier, mee leren omgaan. En het leek juist makkelijker te gaan, tót de nieuwste sprong roet in het eten gooide. Hij wil 'bij mama blijven', maar beseft ook heel goed dat moeder weg kan lopen, als zij dat wil. Dit maakt hem éxtra onzeker. Het verhoogt zijn spanning. Hij is dus extra ongedurig, onrustig en lastig.

> 'De laatste dagen wil ze alleen maar op schoot zijn. Overigens zonder duidelijke reden. Als ik haar niet draag, huilt ze. Als we met de wagen op stap zijn en ze denkt maar dat ik stil sta, wil ze al op de arm.' (Ashley, week 34)

> 'Ze was mopperig, leek zich te vervelen. Alles wordt even opgepakt en weer weggegooid.' (Laura, week 35)

> 'Als ze bij iemand op schoot zit, is het altijd goed. Anders huilt ze veel. Ze is wat onrustiger, ben ik niet van haar gewend. Ze is het gauw zat in de box, in haar stoeltje of op de grond.' (Eefje, week 34)

Alle baby's huilen minder als ze bij moeder zijn. Vooral als ook ál haar aandacht op hen gericht is. Dus als hij haar helemaal alleen voor zichzelf heeft.

'Hij was huilerig, niet te genieten. Als ik maar bij hem bleef of hem op schoot nam was 't goed. Heb hem verschillende keren in bed gestopt, toen ik genoeg van hem kreeg.' (Dirk, week 36)

Hoe merk je dat je baby 'bij mama wil blijven'?

Hangt hij (vaker) aan je rokken?
Niet-kruipers, die bang zijn als moeder rondloopt, kunnen niet anders doen dan huilen. Iedere stap die ze doet, betekent voor sommige baby's echt paniek. Kruipbaby's kunnen zelf bij haar blijven. Soms klampen ze zich zó stevig aan moeder vast, dat ze nauwelijks een stap kan zetten.

'Nog een moeilijke week. Veel gehuil. Hij hangt letterlijk aan mijn rokken. Ga ik de kamer uit, dan is het huilen en achter me aan komen. Als ik aan 't koken ben, kruipt hij achter me, grijpt mijn benen vast en gaat zó tegen me aan staan dat ik geen stap meer kan verzetten. Het 's avonds naar bed gaan is ook weer "kermis". Hij slaapt dan ook laat in. Hij speelt alleen als ik met hem speel. Af en toe werd het me weer te veel.' (Bob, week 38)

'Op het ogenblik is zij een moederskindje. Zolang ze me ziet, is het goed. Anders begint ze te huilen.' (Jetteke, week 38)

'Ik noem haar "klitje", ze hangt aan moeders broeken. Ze wil weer constant rond, aan en op me zijn.' (Xara, week 36)

Is hij eenkennig?
De wens om dicht bij mama te zijn, wordt nog duidelijker als anderen in de buurt zijn. Soms ook als dat vader of broers en zussen zijn. Vaak mag alléén mama naar hem kijken, tegen hem praten. En moeder is bijna altijd de enige die hem mag aanraken.

'Ze wordt weer eenkenniger.' (Odine, week 34)

'Als vreemde mensen tegen hem praten of hem vastpakken, gaat hij direct huilen.' (Paul, week 34)

'Als iemand komt, racet hij op schoot, buik tegen buik, klampt zich vast en kijkt dan wie er is.' (Rudolf, week 34)

'Ze is weer eenkennig, of liever angstig, als iemand haar wil aanraken of oppakken.' (Xara, week 36)

Wil hij niet dat je het lichaamscontact verbreekt?
Sommige baby's houden moeder extra stevig vast, als ze op schoot zitten of gedragen worden. Anderen reageren nijdig, als ze door moeder onverwacht worden neergezet.

'Ze wordt kwaad, als ik haar even neerzet. Als ik haar dan weer oppak, knijpt ze altijd even. Als de hond in de buurt is, knijpt ze hem al voordat ik haar oppak.' (Xara, week 35)

'Hij wil graag gedragen worden en klampt zich dan opvallend stevig vast in mijn nek of aan mijn haren.' (Thijs, week 36)

'Het is net of er iets met haar bed is. Ik breng haar in een diepe slaap naar boven en zij hoeft de matras maar te voelen of haar ogen gaan open. Brullen!' (Laura, week 33)

Wil hij (vaker) beziggehouden worden?
De meeste baby's gaan meer aandacht vragen. Zelfs de makkelijke baby's zijn niet altijd tevreden, als ze alleen zijn. Sommige baby's zijn pas tevreden als moeder helemaal op hén gericht is. Zo'n baby wil dan dat moeder alléén maar oog voor hém heeft en dat ze hém in zijn spel volgt. Hij wordt dan ook prompt lastiger, als moeder aandacht heeft voor iets of iemand anders. Je zou kunnen zeggen: hij is jaloers.

'Als ik met andere mensen praat, gaat hij heel hard gillen om aandacht.' (Paul, week 36)

'Hij krijgt moeite met alleen in de box liggen. Gaat nu duidelijk aandacht vragen. Hij heeft graag mensen om zich heen.' (Dirk, week 34)

Slaapt hij slechter?
De meeste baby's slapen minder. Ze willen niet naar bed, komen moeilijker in slaap en ze zijn eerder wakker. Sommigen zijn vooral overdag lastige slapers. Anderen 's nachts. Weer anderen zijn 's nachts en overdag langer wakker.

'Hij wordt vaak 's nachts wakker. Ligt soms anderhalf uur te spelen om drie uur 's nachts.' (Thijs, week 33)

'Ze is 's avonds lang wakker, wil niet naar bed. Ze slaapt weinig.' (Odine, week 35)

'Ze huilt zich tegenwoordig in slaap.' (Juliette, week 33)

Heeft hij 'nachtmerries'?
Baby's kunnen heel onrustig zijn in hun slaap. Ze kunnen soms zo tekeergaan, dat moeder denkt dat ze een nachtmerrie hebben.

'Hij wordt vaak 's nachts wakker. Een keer leek het erop dat hij droomde.' (Paul, week 37)

'Ze wordt 's avonds steeds hard gillend wakker. Als ik haar uit bed til, is ze weer stil. Dan leg ik haar weer terug en slaapt ze verder.' (Xara, week 35)

Is hij overdreven lief?
Op deze leeftijd zie je voor het eerst dat baby's die hangerig zijn, ook een hele andere tactiek uitproberen, om dicht bij mama te kunnen blijven. In plaats van zeuren en huilen, gooien ze het over een andere boeg en kussen en knuffelen moeder soms tot moes. Vaak wisselen ze 'lastig' en 'lief' om aandacht vragen af. Moeders van niet-knuffelige baby's vinden het heerlijk als de baby eindelijk eens lekker bij hen komt zitten!

'Soms wilde ze niets. Een andere keer was ze juist erg "knuffelig".' (Ashley, week 36)

'Hij is aanhankelijker dan hij ooit geweest is. Als ik in de buurt kom, grijpt hij zich vast in een innige omhelzing. Mijn nek zit vol rode plekken van het "vrijen" en het "vastklampen". Hij is ook niet meer zo "weggaanderig". Hij zit nu ook wel eens stil en dan kan ik met hem een boekje lezen. Ik vind dat wel prettig. Eindelijk wil hij ook eens met mij spelen.' (Thijs, week 35)

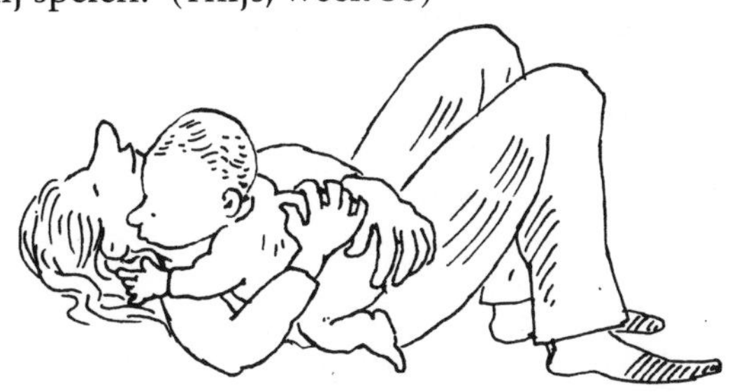

'Zijn hangerigheid uit zich in liever en aanhankelijker zijn, lekker vaak bij je komen zitten, zich tegen je aan nestelen, tussen ons in komen liggen in bed. De omgeving vindt dat "incest". Maar zolang hij dat nog wil, genieten wij nog lekker van hem.' (Steven, week 36)

Is hij 'stiller'?
Soms is de baby tijdelijk wat rustiger. Soms hoor je hem minder 'kletsen', of zie je hem minder bewegen en spelen. Een andere keer kan hij even alles stoppen en staart hij wat in de verte.

'Hij is stiller, kijkt vaak wat dromerig voor zich uit. Ik heb de indruk dat hem iets in de weg zit. Dat hij ziek wordt of zo.' (Steven, week 36)

'Ik voel me weer op een dood punt zitten. Zijn speelgoed ligt stil in een hoek. Al langer. Ik heb het gevoel dat hij ander speelgoed nodig heeft. Speelgoed dat hem meer uitdaagt. Ik weet nog niet wat.' (Bob, week 37)

Wil hij niet verschoond worden?
De meeste baby's zeuren, krijsen, draaien, zijn ongeduldig en ongedurig als ze worden neergelegd om aangekleed, uitgekleed of verschoond te worden.

'Uitkleden, aankleden en luiers verschonen zijn een ramp. Ze krijst al zogauw ze neergelegd wordt. Ik word daar niet goed van. Hopeloos.' (Juliette, week 35)

'Ze heeft een hekel aan uit- en aankleden gekregen. Ze gaat meestal verschrikkelijk tekeer.' (Xara, week 36)

Gedraagt hij zich babyachtiger?

Voor het eerst ontdekken sommige moeders nu dat een verdwenen babygedrag weer de kop opsteekt. Op latere leeftijd zal zo'n 'terugval naar babyachtiger zijn' steeds duidelijker worden. Moeders zien zo'n terugval niet graag. Het maakt hen onzeker. Toch zijn deze terugvallen heel gewoon. Ze komen in alle 'hangerige perioden' voor.

'Ze valt 's avonds met moeite in slaap. Ze huilt dan op de manier waarop ze huilde toen ze net geboren was.' (Juliette, week 32)

'Ik moet hem weer elke avond in slaap wiegen en zingen, net als ik vroeger deed.' (Steven, week 35)

BABY VAN SLAG: HOE TOONT HIJ DAT?

- Huilt vaker. Is vaker chagrijnig, mopperig, dreinerig ☐
- Is het ene moment vrolijk en het volgende huilerig ☐
- Wil vaker beziggehouden worden ☐
- Hangt (vaker) aan je rokken ☐
- Is 'overdreven' lief ☐
- Krijgt (vaker) driftbuien ☐
- Is (vaker) eenkennig ☐
- Protesteert wanneer je lichaamscontact verbreekt ☐
- Slaapt slechter ☐
- Heeft (vaker) 'nachtmerries' ☐
- Eet slechter ☐
- 'Kletst' minder ☐
- Is minder beweeglijk ☐
- Zit soms stilletjes te dromen ☐
- Wil niet verschoond worden ☐
- Zuigt (vaker) op de duim ☐
- Pakt (vaker) een knuffel ☐
- Gedraagt zich babyachtiger ☐
- Wat verder opvalt: ....
  ....

Eet hij slechter?

Veel baby's lijken minder geïnteresseerd in eten en drinken. Sommigen lijken geen honger te hebben en slaan vastberaden een maaltijd over. Anderen willen alleen datgene eten wat ze zelf in hun mond stoppen. Weer anderen zijn kieskeurig en zitten te knoeien en te spugen. De meesten doen dan ook langer over een maaltijd.

Baby's kunnen ook ongedurig zijn tijdens de maaltijd. Niet willen eten als het er is, en wél willen als het wordt weggezet. Of ze willen de ene dag veel en de andere dag niets eten. Alle variaties komen voor.

'Hij weigerde drie dagen lang de borst. Vreselijk, ik barstte. Juist toen ik bedacht had dat het misschien toch tijd werd dat ik eens wat borstvoeding minderde nu de T-shirt-tijd in aantocht was, wilde hij weer de hele dag drinken. En toen was ik weer bang dat ik niet genoeg had, want hij at niets anders meer. Maar het schijnt goed te gaan. Hij heeft geen commentaar.' (Thijs, week 34)

Zorgen[1], *irritaties en ruzies*

Moeder voelt zich onzeker

Moeders maken zich regelmatig zorgen, als ze merken dat de baby van slag is. Ze willen begrijpen waarom hij zich gedraagt zoals hij doet. Als moeders voor zichzelf een goede reden hebben gevonden, stelt hen dat gerust. Op deze leeftijd zijn dat meestal 'doorkomende' tanden.

'Haar boventandjes zitten haar dwars. Ze wil steeds maar dat ik iets met haar doe. Zoals wandelen of spelen.' (Eefje, week 34: haar eerstvolgende tand kwam pas in week 42)

'Hij kon wel bang zijn. Wordt 's nachts huilend wakker. Soms wel drie keer en is dan bijna niet te bedaren. Alleen bij ons in bed slaapt hij weer in.' (Steven, week 33)

Moeder raakt uitgeput

Moeders van baby's die veel aandacht vragen en weinig slapen, voelen zich intens moe. Tegen het einde van de hangerige periode denken sommigen het niet lang meer zo vol te kunnen houden. Daarbij klagen sommige moeders ook nog over hoofdpijn, rugpijn en misselijkheid.

'Ik word er wel eens moedeloos van, als ze tot middernacht wakker blijft. Ook al speelt ze nog zo vrolijk. Als ze dan eindelijk slaapt, stort ik helemaal in. Voel me dan leeggezogen en kan niet meer nadenken. Krijg van mijn man geen enkele steun. Hij wordt boos dat ik zoveel aandacht aan haar geef. Hij denkt: Laat maar janken.' (Nina, week 37)

'De dag is lang, als hij uit zijn hum is, veel huilt en pruilt.' (Bob, week 35)

Moeder ergert zich en doet er ook wat aan

Bijna alle moeders ergeren zich steeds vaker aan het gedrag van de baby in de hangerige periode. Ze ergeren zich aan het ongedurige, ongeduldige huilen, dreinen, drammen en zeuren om lichaamscontact of aandacht. Ze ergeren zich aan het geklit aan mama, aan de moeite die het kost om hem te verschonen of te verkleden en aan het dan-wel-en-dan-niet willen eten.

'Toen ze weer 'ns zo'n bui had (niets wilde en onrustig was), heb ik haar het bed ingelegd. Ik word er moe van, geïrriteerd.' (Jetteke, week 37)

---

[1] Vraag bij twijfel altijd advies aan je huisarts of het consultatiebureau.

'Met aankleden heb ik haar even flink neergelegd. Ik kon dat gejammer en gewriemel niet meer hebben. Ze zat trouwens de hele dag al te "piepen", in de box, in de stoel en in bed.' (Juliette, week 35)

'Toen hij zo ongedurig was tijdens het verschonen, heb ik hem in zijn kamertje op de grond gezet en alleen gelaten. Hij was meteen stil. Even later kwam hij mij halen met 'n huil. Was toen iets gewilliger.' (Rudolf, week 37)

'Deze week heb ik een keer op hem gemopperd. Hij was zo ontzettend dwingerig aan 't krijsen, dat ik ineens heel hard en boos riep: "Is 't nu afgelopen!" Daar schrok hij zó van. Hij keek me eerst met grote ogen aan, daarna ging hij met een naar beneden gebogen hoofdje zitten kijken, alsof hij zich echt schaamde. Dat was zo'n grappig gezicht. Hij was daarna wel heel wat rustiger.' (Paul, week 37)

'Ik heb besloten dat hij niet meer dan twee keer per dag aan de borst mag. Ik ben het zat, dat wispelturige. De ene dag veel, de andere niets. Ook sus ik hem nu thuis niet meer aan de borst in slaap. Dat lukt goed. In een vreemd huis doe ik dat nog wel.' (Thijs, week 37)

Ruzies

Aan het einde van iedere hangerige periode willen de meeste moeders die borstvoeding geven, stoppen. Het dan-weer-wel en dan-weer-niet aan de borst willen, irriteert hen. Maar ook de dwingende manier waarop de baby telkens weer zijn zin wil doordrijven, maakt dat moeders 'borstvoeding' niet meer zien zitten.

'Hij wil de borst wanneer het hém uitkomt. Maar dan ook onmiddellijk. Als het mij even niet uitkomt, krijgt hij zowaar een soort driftbui van nijd. Ik ben bang dat die driftbuien een gewoonte gaan worden. En dat hij straks iedere keer met een krijs- en trappelscène zijn zin doordrijft. Dus stop ik ermee.' (Steven, week 36)

Ruzies kunnen ook ontstaan als baby en moeder 'onderhandelen' over de hoeveelheid lichaamscontact en aandacht, die de baby wil hebben en die moeder wil geven.

'Ik irriteer me steeds vaker aan dat vastklampen en dwingende gedrein. Wanneer we ergens op bezoek zijn, wil hij me nauwelijks loslaten. Ik duw hem dan het liefst weg. Doe het soms ook. Maar dat maakt hem alleen maar nijdiger.' (Rudolf, week 37)

Het nieuwe vermogen breekt door

'Ik voel me weer op een dood punt zitten. Zijn speelgoed ligt stil in de hoek. Al langer. Ik heb het gevoel dat ik hem meer impuls moet aanreiken, in zijn speelgoed. Ander speelgoed dus wat hem uitdaagt. Buiten is hij heel actief, heeft daar genoeg te zien. Binnenshuis verveelt hij zich.' (Bob, week 36)

Als je baby ongeveer 37 weken oud is, ontdek je dat je baby rustiger wordt. Dat hij dingen probeert of doet die nieuw zijn. Je merkt dat hij anders omgaat met zijn speelgoed. Andere dingen leuk vindt. Wat geconcentreerder en meer bestuderend bezig is. Dat komt omdat op deze leeftijd bij iedere baby het vermogen tot het waarnemen en zélf maken van 'categorieën' doorbreekt. Je kunt dit vermogen vergelijken met een volgende winkel die wordt geopend en waarin een uitgebreide schakering aan categorieën-koopwaar ligt. Jouw baby, met zíjn aanleg, voorkeur en temperament, maakt zijn éigen keuze. Hij kan weer uitgebreid winkelen en zich nieuwe dingen eigen maken. En als volwassene kun je hem daarbij helpen.

De sprong: de 'winkel van de categorieën'

Na het vorige sprongetje ging je baby 'relaties' ontdekken tussen dingen die hij in zijn wereld tegenkwam. Tussen dingen die hij zag, hoorde, rook, proefde en voelde, zowel in de buitenwereld als ín en mét zijn lichaam. Door dat te doen, leerde hij alles beter kennen. Hij merkte dat hij net zo'n wezen is als mama, dat híj dezelfde bewegingen kan maken als zíj doet. En dat zij hém na kan doen. Dat er andere dingen bestaan die ook kunnen bewegen, maar die dat anders doen. Dat er dingen bestaan die niet uit zichzelf kunnen bewegen. En ga zo maar door.

Als je baby het vermogen krijgt om 'categorieën' waar te nemen en te maken, gaat hij beseffen dat hij zijn wereld in groepjes kan indelen. Het dringt tot hem door dat bepaalde 'dingen' erg op elkaar lijken. Er bijvoorbeeld hetzelfde uitzien, of dat ze hetzelfde geluid maken, eender proeven, ruiken of aanvoelen. Kortom, hij ontdekt dat meerdere dingen dezelfde kenmerken vertonen.
Zo leert hij bijvoorbeeld wat een 'paard' is. Hij merkt dat in die categorie élk paard thuishoort, of het nu wit, bruin of gevlekt is. Hij merkt ook dat het er niet toe doet of het paard nu in de wei staat, op een foto, op een schilderij of in een prentenboek. Of het nu een geboetseerd paard is of een levend paard. Het is en blijft een 'paard'.

Natuurlijk kan je baby niet van de ene op de andere dag zijn wereld indelen in categorieën. Om dat te kunnen moet hij mensen, dieren en dingen goed leren kennen. Hij moet gaan beseffen dat er bepaalde overeenkomsten in 'iets' aanwezig moeten zijn, wil dat 'iets' in een bepaalde categorie passen. Hij moet die overeenkomsten dus opmerken en daar is ervaring voor nodig. Daar is veel oefening en tijd voor nodig. Als je baby het vermogen krijgt tot het waarnemen en zelf maken van categorieën, begint hij daarmee te experimenteren. Hij gaat mensen, dieren en dingen op een bepaalde manier bestuderen. Hij gaat ze bekijken, vergelijken en sorteren op overeenkomsten en ze dan onderbrengen in een bepaalde 'categorie'. Zijn begrip van een 'categorie' is dus het resultaat van veel onderzoek, waarbij je baby als een echte onderzoeker te werk gaat. Waarbij hij overeenkomsten en verschillen bekijkt, beluistert, bevoelt, proeft en uitprobeert. Je baby is een harde werker.

Als je kind straks gaat praten, zul je merken dat hij onze 'categorieën' al lang heeft ontdekt en dat hij deze soms een eigen naam heeft gegeven. Bijvoorbeeld: zijn 'garagehuis' is onze drive-in woning, zijn 'stapelhuis' onze

flat en wat hij een 'verenplant' noemt, kennen wij als varen. Hij is dus zélf bezig geweest met het maken van 'categorieën'. In de naam van de dingen vind je de eigenschap terug die voor hem het meest kenmerkend was.
Al meteen nadat je baby het vermogen krijgt om zijn wereld in 'categorieën' in te delen, begint hij dat ook te doen. Hij test niet alleen wát iets een 'paard', 'hond', of 'beer' doet zijn, maar ook wát iets 'groot', 'klein', 'zwaar', 'licht', 'rond', 'zacht' of 'plakkerig' maakt. En ook wát iets 'droevig', 'vrolijk', 'lief', of 'stout' doet zijn.
Uit onderzoeksspelletjes met baby's komt duidelijk naar voren dat baby's vanaf deze leeftijd ánders reageren. Men concludeerde dan wel eens dat 'intelligentie' op deze leeftijd 'ontstaat'. Dat mag op het eerste oog misschien zo lijken, toch wil dat niet zeggen dat een baby hiervóór nooit 'gedacht' heeft. Alleen deed hij dat op een manier die toen perfect paste bij zijn leeftijd, maar die *wij* niet meer begrijpen. Als je baby het vermogen krijgt om 'categorieën' te maken, komt zijn 'denkwerk' veel dichter bij dat van ons, volwassenen, te staan. Hij gaat dan denken zoals wij denken. En daarom kunnen *wij* hem gaan begrijpen.
Als je baby 'categorieën' waarneemt en ze zelf maakt, doet hij dat op de manier van een 37 weken oude baby. Hij maakt gebruik van vermogens die hij bij vorige ontwikkelingssprongen tot zijn beschikking heeft gekregen. Hij kan dat nog niet met vermogens die hij pas op latere leeftijd krijgt. Dus rond 37 weken kan je baby gaan leren 'patronen', 'vloeiende overgangen', 'gebeurtenissen' en/of 'relaties' in te delen in 'categorieën'.

MÉÉR ÉÉN VAN ONS

Door het gebruik van 'categorieën' in onze taal laten wij zien hoe wij denken. Je baby kan nu deze manier van denken ook gaan begrijpen en gebruiken. En hierdoor kun je elkaar weer beter gaan begrijpen.

Dit vermogen tot het waarnemen en het zelf maken van 'categorieën' beïnvloedt het gedrag van je baby. Het doorstraalt alles wat je baby doet. Hij moet zijn hele belevingswereld herzien. Hij merkt dat hij mensen, dieren, dingen en gevoelens in kan delen in groepjes die iets gemeenschappelijks hebben. En dat die één naam krijgen.
Kun je je voorstellen dat je baby van slag is, als dit tot hem doordringt? Voor ons als volwassene zijn 'categorieën' heel gewoon. Ons denken en onze taal zijn ervan doordrenkt. Beter nog: zij zijn ervan afhankelijk. Je baby maakt hier voor het eerst kennis mee. Voor het eerst kan hij met 'categorieën' datgene gaan ordenen wat zijn zintuigen waarnemen. Dat betekent dat hij nu voor het eerst kan gaan denken zoals wij denken. En gaan 'vertellen' wat wij begrijpen.

HERSENWERK

De hersengolven van je baby vertonen weer drastische veranderingen rond 8 maanden.

WAT HEEFT DE 'WINKEL VAN DE CATEGORIEËN' IN DE AANBIEDING?

De afdeling 'herkennen van dieren en dingen':

- Laat merken dat hij bijvoorbeeld een 'vliegtuig', 'auto', 'vis', 'eend', 'poes', 'vogel' of 'paard' steeds weer herkent. Of hij dat dier of ding nu in levenden lijve ziet, als beeld of op een plaatje .... ☐
- Laat merken dat hij bijvoorbeeld 'rond' van andere vormen onderscheidt, omdat hij steeds de ronde uit een stapel pakt ... ☐
- Laat merken dat hij iets 'vies' vindt. Bijvoorbeeld door te snuiven .... ☐
- Laat merken dat hij iets 'leuk' of 'lekker' vindt. Bijvoorbeeld door een bepaald geluid of een bepaalde beweging te maken .... ☐
- Begrijpt namen van dieren of dingen, zoals tandenborstel, schaapje, soepstengel, poes of eend. Als je vraagt: 'waar is ...?' kijkt hij ernaar. Als je zegt: 'pak je ...', pakt hij het .... ☐
- Zegt woordjes na .... ☐
- Bekijkt alles door een zandbakzeefje, door gaas van de hordeur, door glas .... ☐
- Wat verder opvalt: ....
  ....

De afdeling 'herkennen van mensen als mensen':

- Hij begint zich duidelijker naar andere mensen te richten met geluiden en gebaren .... ☐
- Doet opmerkelijk vaak andere mensen na. Imiteert wat zij doen .... ☐
- Wil duidelijk vaker spelletjes doen met anderen .... ☐
- Roept gezinsleden. Ieder heeft een eigen toontje .... ☐
- Wat verder opvalt: ....
  ....

De afdeling 'herkennen van individuele mensen onder verschillende omstandigheden':

- Herkent mensen als hij ze in een heel andere situatie terugziet .... ☐
- Herkent mensen in de spiegel, zoekt ze bijvoorbeeld in de spiegel op als ze ergens in de kamer zijn .... ☐
- Laat merken dat hij zichzelf herkent op een foto, of in de spiegel. Bijvoorbeeld: trekt gekke gezichten tegen zijn spiegelbeeld, steekt zijn tong uit en lacht er om .... ☐
- Wat verder opvalt: ....
  ....

De afdeling 'herkennen van emoties':

- Snapt dat moeder lief doet tegen een ander kind. Is voor het eerst jaloers als een ander kind aandacht krijgt. Zou niet jaloers zijn als moeder boos is op een ander kind .... ☐

- Troost een knuffel die valt of die hij expres op de grond gooit ☐
- Is extra lief als hij iets gedaan wil krijgen ☐
- Toont zijn stemming heel overdreven. Speelt een rol om goed duidelijk te maken hoe hij zich voelt ☐
- Is gevoeliger voor stemmingen van anderen, bijvoorbeeld: hij huilt als een ander kind huilt ☐
- Wat verder opvalt: ....

De afdeling 'spelen van moeders rol':

- Hij kan de rollen omdraaien en zélf een spel starten ☐
- Speelt kiekeboe met een jongere baby ☐
- Voert moeder de fles ☐
- Vraagt om een liedje te zingen. Gaat dan in zijn handjes klappen ☐
- Vraagt om verstoppertje te spelen, door zelf ergens achter te kruipen ☐
- Vraagt om samen blokken te stapelen, door jou zijn blokken aan te geven ☐
- Wat verder opvalt: ....

Bedenk steeds dat je baby nooit in één klap alle 'goederen' in deze winkel kan opkopen. Met 37 weken krijgt hij voor het eerst toegang tot de winkel. Maar wannéér hij zich wát eigen maakt, hangt af van de interesse van de baby en de gelegenheid die hij krijgt.

Wat kiest jouw baby uit de 'winkel van de categorieën'?

Alle baby's hebben dit vermogen tot het waarnemen en zelf vormen van 'categorieën' gekregen. De nieuwe winkel staat voor allemaal open, vol met nieuwe mogelijkheden. Jouw baby maakt zijn eigen keus. Hij pakt dát wat het best past bij zijn aanleg, interesse, lichaamsbouw en gewicht. Vergelijk je baby daarom niet met een andere baby. Iedere baby is uniek.
Kijk goed naar je baby. Stel vast waar zijn belangstelling naar uit gaat. In het kader 'Wat heeft de "winkel van de categorieën" in de aanbieding' is ruimte om aan te geven wat je baby kiest. Zelf kun je er ook 'winkelen', om te zien of er dingen bij zijn waarvan je denkt dat je baby ze ook leuk zou vinden.

ZO ZIJN BABY'S

Alles wat nieuw is, vindt je baby het leukst. Reageer daarom altijd en vooral op nieuwe vaardigheden en interesses die je baby toont. Hij leert dan prettiger, makkelijker, sneller en meer.

De uitwerking van de sprong: Help je baby bij het leren

Iedere baby heeft tijd en hulp nodig, om zo goed mogelijk te begrijpen waarom iets nu binnen of buiten een bepaalde 'categorie' valt. Als moeder kun je hem daarbij helpen. Je kunt hem de gelegenheid en de tijd geven om zó te experimenteren en te spelen, dat hij snapt waarom iets tot een bepaalde 'categorie' behoort. Je kunt hem aanmoedigen en troosten als hij dat nodig heeft. Je kunt hem nieuwe ideeën aanreiken.
Geef je baby de gelegenheid om zijn begrip van 'categorieën' te vergroten. Het doet er niet toe welke 'categorieën' je baby het eerst onderzoekt. Als hij eenmaal beseft hoe 'categorieën' in elkaar steken, kan hij dat begrip later makkelijk ook op andere 'categorieën' toepassen. De ene baby zal liever beginnen met 'dingen herkennen', de andere met 'mensen herkennen'. Laat je leiden door je baby. Hij kan nu eenmaal niet alles tegelijk doen.

Laat hem 'categorieën' ontdekken

Als je baby zijn vermogen om 'categorieën' waar te nemen en te maken uitwerkt, merk je dat hij eigenlijk bezig is om een hele schakering kenmerken te onderzoeken en te vergelijken. Wat je dus ziet is dat hij met 'relaties' speelt. Door zo te werk te gaan, leert hij de belangrijkste kenmerken kennen van datgene wat hij onderzoekt. Hij ontdekt of iets stuitert of niet, licht of zwaar is, groot of klein, rond of vierkant, hoe het aanvoelt, en ga zo maar door. Hij bekijkt iets van alle kanten, houdt het ding op de kop of houdt zijn hoofd scheef. Beweegt het langzaam en snel. Alleen zó 'werkend' komt hij tot de ontdekking: 'Dit is een bal, dat niet' of: 'Dit blok is rond, dat andere niet.'
Heb je wel eens gezien hoe je baby iets in de verte bekijkt? Hij doet dat vaak terwijl hij zijn hoofd heen en weer beweegt. En hij doet dat niet zomaar. Hij merkt dat dingen even groot blijven en er hetzelfde uit blijven zien, ook als hij beweegt. Hij speelt met die ontdekking. Kijk wat hij leuk vindt en laat hem zijn gang gaan.

> 'Hij wil in het bad het stromende water pakken (als de kraan loopt). Hij knijpt in 't water en als hij dan zijn handje open doet, zit er niets in. Dat vindt hij maar raar. Maar hij kan daar lang mee bezig zijn.'
> (Paul, week 43)

Laat je baby spelen met het begrip 'één' en 'méér dan één'

Bouw eens een toren voor je baby, zodat hij de blokken er één voor één af kan halen. Hetzelfde kun je doen met de ringen om een piramide. Geef hem ook eens een stapel tijdschriften, die hij dan één voor één kan verplaatsen. En kijk welke spelletjes je baby zelf verzint met 'één' en 'méér dan één'.

'Hij doet eerst één kraal in 'n doorschijnend, rond busje en schudt er dan mee. Dan doet hij er méér in en schudt weer. Hij luistert er iedere keer ernstig naar en vermaakt zich zo uitstekend.' (Jan, week 41)

Laat hem spelen met het begrip 'geven' en 'krijgen'
Sommige baby's vinden het heel leuk om voortdurend iets te krijgen of te geven. Het doet er dan niet toe wat het is. Als hij maar kan geven en ontvangen. Dat laatste liever dan het eerste. Als hij al geeft, is het natuurlijk wél de bedoeling dat hij het meteen weer terugkrijgt. Ook begrijpt hij vaak 'geef ... maar' en 'alsjeblieft'. Je kunt het geef-en-krijg-spelletje dus combineren met taal en zo zijn begrip ervan vergroten.

Laat je baby spelen met het begrip 'ruw' en 'voorzichtig'
Sommige baby's proberen uit wat er gebeurt als zij hardhandig of voorzichtig met een mens, dier of ding omgaan. Als je merkt dat je baby dat doet, kun je hem laten weten dat het pijn doet of dat iets kapotgaat. Hij weet heus waar hij mee bezig is.

'Hij bijt me geregeld en gaat af en toe hardhandig met zijn speelgoed en dingen om. Toch kan hij ook overdreven voorzichtig doen. Hij aait dan met één vingertje over bloempjes en miertjes, om ze daarna te pletten. Als ik dan zeg: "Stt, zachtjes", gaat hij weer voelen met één vingertje.' (Bob, week 40)

'Toen we in bad zaten, onderzocht hij mijn tepel eerst heel voorzichtig met één vingertje om daarna duwend, porrend en trekkend door te gaan. Zijn eigen plassertje kwam daarna aan de beurt. Wel wat voorzichtiger!' (Thijs, week 41)

'Eerst onderzoekt ze met één wijsvingertje mijn ogen, oren en neus. Kietelt eroverheen. Dan wordt ze steeds wilder. Ze gaat steeds hardhandiger in mijn ogen pikken en porren, aan mijn oren en neus trekken en 'n vinger in mijn neusgat steken.' (Nina, week 39)

Laat je baby spelen met verschillende vormen
Sommige baby's zijn vooral geïnteresseerd in verschillende vormen, zoals ronde, vierkante en gekartelde vormen. Ze bekijken de vorm en volgen de omtrek met één vingertje. En doen dan hetzelfde met iets dat een andere vorm heeft. Ze vergelijken de vormen als het ware. Bij blokken worden ronde vormen er vaak als eerste uitgehaald en dus herkend. Als je baby geboeid is door vormen, geef hem dan verschillende blokken die allemaal anders zijn van vorm. Ook zul je zien dat je baby in huis genoeg dingen vindt, waarvan de vorm hem boeit.

Laat je baby onderdelen van iets ontdekken
Veel baby's onderzoeken graag de verschillende onderdelen van dingen. Je ziet hem dan achtereenvolgens op de verschillende kanten van iets sabbelen. Of op de bovenkant, in het midden en aan de onderkant van iets drukken. Maar zijn onderzoeksreizen kunnen ook veel verder gaan.

'Hij prutst graag aan sloten van kasten en deuren. Als de sleutel een kwart gedraaid is, ziet hij nóg kans hem eruit te halen.' (Jan, week 37)

'Hij is helemaal wild van "knopjes". Deze week onderzocht hij hoekjes en gaatjes aan de stofzuiger. Zat ook aan de knopjes. Duwde per ongeluk op het goede knopje en zoef ging de stofzuiger aan. Hij schrok ontzettend.' (Bob, week 38)

Laat hem spelen met 'hoe materialen aanvoelen'
Sommige baby's vinden het heerlijk om met hun handen te voelen hoe dingen aanvoelen. Ze testen zo de hardheid, kleverigheid, ruwheid, de warmte, de glibberigheid en ga zo maar door. Laat hem zijn gang gaan.

'Hij speelt nu veel geconcentreerder. Hij onderzoekt soms zelfs twee dingen tegelijk. Zo kan hij een hele tijd bezig zijn om in de ene hand 'n stuk banaan en in de andere 'n stuk appel te pletten. Ondertussen kijkt hij van zijn ene naar zijn andere hand.' (Dirk, week 42)

'Hij voelt aan zand, water, kiezels en suiker. Hij stopt het in zijn knuist en voelt. Pas veel later gaat het zijn mond in.' (Bob, week 40)

Ook vindt een baby het soms heerlijk om ook met andere delen van zijn lichaam over materialen te wrijven. Of pakken ze iets op en wrijven dat over hun lichaam. Ze willen dus met alle plekjes voelen hoe iets aanvoelt. Zó leren ze datgene wat ze onderzoeken nóg beter kennen. Geef ze daartoe ook de gelegenheid.

'Ik heb een schommel voor hem neergehangen in de deuropening. Onder de zitting zit een knoop. En om die knoop is het hem nu te doen. Hij gaat onder de schommel zitten en houdt zichzelf vast aan de deurpost, zodat hij wat omhoog kan komen als die knoop over zijn haren strijkt. Hij zit daar dan en voelt hoe dat voelt.' (Bob, week 39)

Laat hem spelen met het begrip 'zwaar' en 'licht'
Vergelijkt je baby het gewicht van speeltjes en andere spulletjes? Geef hem dan de gelegenheid om dat ook te doen, voorzover de inrichting van je huis dat kan hebben natuurlijk.

'Ze loopt overal langs en tilt alles even op.' (Jetteke, week 41)

Laat hem spelen met het begrip 'hoog' en 'laag', 'groot' en 'klein'
Je baby doet dat met zijn lichaam. Hij klimt overal op, onderdoor en overheen. Hij doet het uitproberend, rustig en gecontroleerd. Alsof hij bedenkt hoe hij het zal doen.

'Probeert overal onderdoor te kruipen. Kijkt een tijdje en gaat dan. Gisteren kwam hij knel te zitten onder de onderste tree van de trap. Paniek in de tent!' (Jan, week 40)

Geef hem de ruimte

De behendigheid en stevigheid in zitten, staan, kruipen of lopen nemen nu toe. Hij kan dan ook gaan variëren en op de hurken gaan zitten, omhoogkruipen ofwel klimmen en op zijn tenen gaan staan, als hij ergens bij wil komen.

'Er komt een verfijning in zijn staan. Hij kan nu zijn voeten verzetten als ze raar staan. Hij kijkt dan naar zijn voeten en kijkt wat er gebeurt als hij ze verzet.' (Rudolf, week 39)

'Ze loopt soepeler. Ze valt minder en stapt makkelijker óver en óp verhogingen.' (Jetteke, week 38)

Vanaf deze leeftijd wordt het meestal erg belangrijk dat je je baby de ruimte geeft. Laat hem ook eens lekker door het huis kruipen, overal op klimmen en zich optrekken aan de meest onmogelijke richeltjes. Maak bijvoorbeeld het traphekje vast op de tweede of derde tree en laat hem wat oefenen. Leg dan wel onder aan de trap een matrasje, zodat hij zich niet kan bezeren. Ook buiten kan je baby veel leren. Geef hem daar óók de ruimte. Bijvoorbeeld in het bos, op het strand, aan een meer, in de zandbak en in het park. Verlies hem echter geen moment uit het oog.

'Hij klimt overal tegenop, zelfs tegen een gladde muur.' (Jan, week 42)

'Ze zat in haar kinderstoel aan tafel en voor ik het wist zat ze óp tafel. Moet dus ook ogen in mijn rug hebben. Ze is ook al eens met stoel en al (een gewone) achterover gevallen. Gelukkig was ze alleen erg geschrokken.' (Xara, week 42)

MAAK ZIJN OMGEVING 'BABY-VEILIG'
Zorg dat de ruimte waarin je baby rondscharrelt veilig is. Maar verlies hem desondanks geen moment uit het oog. Hij weet altijd nog wel iets te vinden dat gevaarlijk kan zijn en waar je niet aan hebt gedacht.

Toon begrip voor 'rare' angsten

Als je baby bezig is zijn nieuwe vermogen uit te werken, ontdekt hij ook dingen of situaties die hij niet begrijpt. En sommige baby's worden dan bang. Hij ziet gevaren die voor hem tot nu toe niet bestonden. Eén ervan is 'hoogtevrees'. Als je baby plotseling bang is, leef dan met hem mee.

'Zij liep altijd graag, als ik met haar oefende. Nu ineens niet meer. Zij lijkt zelfs bang. Als zij maar even denkt dat ik één handje loslaat, gaat zij al direct zitten.' (Ashley, week 46)

'Hij kan niet tegen vastzitten. Als hij in een autostoeltje zit, wordt hij compleet hysterisch.' (Paul, week 40)

Laat hem in de huid van een ander kruipen

Sommige baby's kunnen nu de rol op zich nemen die moeder of een ouder kind eerst had. En hij kan dat, omdat hij beseft dat hij net zo'n mens is als die ander en dus ook hetzelfde kan doen als die ander. Hij kan zich gaan verstoppen zoals moeder dat deed en haar de zoeker maken. Hij kan zélf met speelgoed komen aandragen, waarmee hij samen wil spelen. Ga daar altijd op in, ook al is het maar even. Hij leert dan dat hij wordt begrepen en ook belangrijk is.

'Deze week was er een kindje op bezoek van ruim een jaar oud. Ze hadden alletwee een flesje drinken. Op een gegeven moment stopte dat kindje haar flesje bij mijn kind in zijn mond en liet hem zo drinken. Ze bleef zelf het flesje vasthouden. De volgende dag liet ik hem bij mij op schoot een flesje drinken (dat is de enige manier om hem eens lekker op schoot te houden) en ineens stopte hij het flesje bij mij in de mond, begon toen te lachen, dronk zelf weer, en weer bij mij. Ik was stomverbaasd. Daarvóór had hij dat nog nooit gedaan.' (Paul, week 41)

'Ze stond tegen de wandelwagen aan, waar het buurjongetje in lag, en deed uit zichzelf een kiekeboespelletje. Ze lagen samen in een deuk.' (Xara, week 40)

Nu kun je je baby gaan verwennen

Als je baby sociaal erg bijdehand is, kan hij je vanaf nu vóórspelen dat hij bedroefd is, dat hij lief is of dat hij in hoge nood zit. Dit betekent dat hij je kan gaan 'manipuleren', dat hij je voor zijn karretje kan gaan spannen. Meestal 'trappen' moeders er even 'in'. Sommigen kunnen zich niet voorstellen dat hun kind, een baby nog, bewust tot zo iets in staat is. Anderen zijn er eigenlijk best een beetje trots op. Als je merkt dat je baby een stukje theater opvoert, laat hem dan zo mogelijk het genoegen proeven van een overwinning. Maar laat tegelijkertijd merken dat je hem doorhebt. Hij leert zo dat het gebruik van emoties belangrijk is, maar dat hij je er niet mee kan manipuleren.

'Overdag is ze erg lastig, echt vervelend, maar als zij 's avonds naar bed moet is zij poeslief aan 't spelen, net of zij denkt: Als ik mij stilhoud, hoef ik nog niet naar bed. Het heeft ook geen zin om haar naar bed te doen als zij niet moe is, want dan vertikt zij het om te blijven liggen. Afgelopen vrijdag lag ze om half elf in bed.' (Jetteke, week 37)

'Als ik met iemand praat, heeft hij prompt hulp nodig of doet hij zich ergens pijn aan.' (Thijs, week 39)

NOG EVEN DIT

Ook afleren van oude gewoontes en aanleren van nieuwe regels horen bij de uitwerking van ieder nieuw vermogen. Dat wat je baby nu nieuw begrijpt, kun je ook van hem eisen. Niet méér, maar ook niet minder.

Pak je baby consequent aan

Moeders zijn altijd trots op de vorderingen en kunsten die hun spruit voor het eerst laat zien. Ze reageren ook vanzelf blij verrast. Zo is iets 'stouts' meestal ook een 'vordering' of iets grappigs, als het voor het eerst gebeurt. En natuurlijk reageert moeder daar net zo verrast op. Maar voor de baby klinkt dat als applaus. Hij denkt dat hij leuk was en herhaalt het keer op keer. Ook vaak nog als moeder 'nee' zegt.

> 'Ze wordt steeds leuker, doordat ze ondeugend begint te worden. Zegt "Brrr" als ze met haar mond vol pap zit, zodat ik onder zit. Zet kasten open waar ze niet aan mag komen, gooit het water van de poes door de keuken en ga zo maar door.' (Laura, week 38)

> 'Ze luistert niet naar mij. Als ik "nee" zeg, begint ze te lachen. En ook als ze een tik van mij krijgt, gaat ze lachen. Als haar oppas "nee" zegt, begint ze te huilen. Ik vraag me constant af of dat niet komt omdat ik werk. Ik geef misschien te veel toe als ik thuis ben, uit 'n soort schuldgevoel.' (Laura, week 39)

WAAR JE AAN MOET DENKEN

Je baby krijgt nu behoefte aan een meer consequente aanpak. Als iets de ene keer niet mag, kun je het beter de volgende keer ook niet goed vinden. Je baby vindt het heerlijk om je uit te proberen.

SPELTOPPERS VAN 'CATEGORIEËN'

Dit zijn spelletjes en oefeningen die inspelen op het nieuwe vermogen en die bij bijna alle 36 tot ongeveer 42 weken oude baby's favoriet zijn.

Samen ontdekken

Sommige dingen hebben een magische aantrekkingskracht op je baby, maar onderzoek-op-eigen-houtje is gevaarlijk of onmogelijk. Help hem dus.

Bellen en lichtknopjes

Laat je baby eens op zijn eigen deurbel drukken. Hij hoort dan meteen wat hij doet. Je kunt hem ook in de lift op een knopje laten drukken. Hij voelt dan wat hij doet. Laat hem ook eens zelf het licht aan doen als het vrij donker is, zodat hij kan zien wat hij doet. En laat hem ook eens op het knopje in de bus drukken of bij een oversteekplaats en vertel hem wat er gebeurt, waar hij naar moet kijken. Zo leert hij iets over het verband tussen wat hij doet en wat er dan gebeurt.

Samen fietsen

Op deze leeftijd raken baby's buiten niet uitgekeken. Hij leert er ook veel van. Ziet veel nieuwe dingen. Kan dingen op een grote afstand bekijken. En stop natuurlijk af en toe om je baby iets beter te laten bekijken, beluisteren en bevoelen.

Laat hem zien hoe hij wordt aan- en uitgekleed
Veel baby's lijken geen tijd te hebben om aangekleed en verzorgd te worden. Ze zijn te druk bezig. Maar ze kijken graag naar zichzelf en vinden zichzelf nóg interessanter als er iets met hen gebeurt. Maak daar gebruik van. Droog je baby eens af voor de spiegel. Kleed hem voor de spiegel aan en uit, waarbij hij een soort kiekeboespel met zichzelf kan spelen.

Taalspelletjes
Je baby begrijpt vaak heel wat meer dan je denkt en hij geniet, als hij dat kan tonen. Hij zal nu met plezier het aantal woorden dat hij al begrijpt, gaan vergroten.

Dingen benoemen
Benoem de dingen waar je baby naar kijkt of luistert. En als je baby door gebaren te kennen geeft wat hij wil, verwoord dan datgene wat hij vraagt. Hij leert dan dat hij met woorden duidelijk kan maken wat hij wil.

Benoemen in boekjes
Neem je baby op schoot of gezellig naast je. Laat hem een boekje uitkiezen en geef het hem. Hij kan dan de bladzijden zelf omslaan. Wijs de afbeelding aan waar hij naar kijkt en benoem die. Je kunt ook het geluid maken dat past bij dat dier of ding dat je aanwijst. Lok je baby ook eens uit om dat woord of geluid te imiteren. Ga nooit door als je baby geen zin meer heeft. Sommige baby's hebben na iedere bladzijde een korte knuffel- of kietelbeurt nodig, om zijn interesse wat langer vast te houden.

Spelen met korte, eenvoudige opdrachtjes
Vraag je baby of hij dat wat hij vast heeft aan jou wil geven, zoals: 'Geef maar aan mama.' Vraag hem ook eens of hij het aan papa wil geven. Ook kun je hem vragen iets voor je te pakken, zoals: 'Pak je tandenborstel' en 'Zoek je bal.' Roep hem ook eens, als je uit het zicht bent: 'Waar ben je?' en laat hem antwoorden. Of vraag hem naar je toe te komen: 'Kom eens hier.' Prijs hem, als hij mee doet, en ga alleen door zolang je baby het leuk vindt.

Imitatiespelletjes
Veel baby's bestuderen andere mensen met interesse en doen met veel plezier na wat ze anderen zien doen. Als je baby dat ook doet, speel daar dan op in.

Vóórdoen en nádoen
Lok je baby uit om datgene wat je doet na te doen en doe dan hém weer na. Hij kan vaak eindeloos doorgaan met dat om-de-beurt-hetzelfde-doen. Varieer ondertussen ook. Doe de gebaren eens wat sneller of langzamer. Doe ze eens met de andere hand of met twee handen. Doe ze eens met geluid of zonder en ga zo maar door. Doe dit spelletje ook eens bij een spiegel. Sommige baby's vinden het heerlijk om gebaren te herhalen voor de spiegel en dan zelf te zien hoe het gaat.

'Praten' voor de spiegel
Als je baby geïnteresseerd is in mondstanden, oefen die dan eens voor een spiegel. Maak er een spelletje van. Ga samen voor de spiegel zitten en 'speel' met klinkers, medeklinkers of woorden. Net wat je baby het leukst vindt. Geef hem de tijd om te kijken en om het na te doen. Ook vinden veel baby's het leuk om zichzelf gebaren te zien imiteren, zoals hoofd- en handbewegingen. Probeer dat ook eens. Als je baby zichzelf ziet als hij je nadoet, ziet hij onmiddellijk of hij het net zo doet als jij.

Meedoen met een zang- en bewegingsspelletje
Zing 'Klap eens in je handjes' en laat je baby de gebaren voelen, die bij dat liedje horen. Pak daartoe zijn handjes vast en maak de gebaren samen met hem. Soms zal een baby uit zichzelf het meeklappen imiteren. Of hij zal zijn handjes omhoogsteken. Zélf alle gebaren na elkaar meedoen, zal hij op deze leeftijd nog niet doen. Maar hij geniet er wel van.

Spelletjes waarbij je van rol kunt wisselen
Moedig je baby aan om alle rollen te spelen.

Zal ik jou eens pakken?
Je kunt dit zien als een eerste tikspelletje. Het kan kruipend of lopend worden gespeeld. Draai het ook eens om. Kruip of loop weg en laat duidelijk merken dat je verwacht dat hij je probeert te vangen. Vlucht ook weg, als je baby zelf aanstalten maakt om je te pakken. Als je baby je te pakken heeft of als jij hem gevangen hebt, knuffel hem dan of til hem hoog de lucht in.

Waar is ... nou?
Verstop jezelf zodat hij je ziet verdwijnen en laat hem zoeken waar je bent. Doe ook eens of je hem kwijt bent en zoekt. Soms verstopt een baby zichzelf al snel en gaat heel stil achter zijn bed of in een hoekje zitten. Meestal kiest hij de plaats waar je zelf net hebt gezeten of eentje die op een vorige dag een groot succes bleek. Reageer enthousiast, als je elkaar hebt gevonden.

SPEELGOED EN HUISRAAD DAT HET MEEST BOEIT
Dit zijn speeltjes en spulletjes die inspelen op het nieuwe vermogen en die bij bijna alle 36 tot ongeveer 42 weken oude baby's favoriet zijn:

- Deuren, deurtjes, kleppen en klepjes. Kortom, alles dat open en dicht kan.
- Pannen met deksels.
- Deurbellen, busbellen, liftknopjes, oversteekknopjes of fietsbellen.
- Föhn.
- Wekker.
- Knijpers.
- Tijdschriften en kranten om te scheuren.
- Servies met bestek.
- Dingen die groter zijn dan hijzelf, zoals dozen of emmers.
- Kussens en dekbedden om te stoeien.
- Vooral *ronde* busjes, potjes of flesjes.
- Alles wat hij kan doen bewegen, zoals hendels, sloten of draaiknoppen.
- Alles wat uit zichzelf beweegt, zoals schaduwbeelden, bewegende takken, bloemen, flakkerende lichten of wapperende was.
- Ballen: van pingpongbal tot grote strandbal.
- Bromtol.
- Pop met een duidelijk gezicht.
- Blokken in allerlei vormen. Niet al te klein.
- Buitenbadje.
- Zand, water, steentjes en een schepje.
- Schommel.
- Blokkenstoof met een deksel met gaten, waarin verschillend gevormde blokken passen.
- Prentenboek met één of twee grote, duidelijke afbeeldingen per bladzijde.
- Poster met meerdere, duidelijke afbeeldingen.
- Autootjes.

Let op:

- Afsluiters op stopcontacten.
- Schakelaars, lichtknopjes.
- Wasmachine, afwasmachine, stofzuiger: allerlei apparaten.
- Trappen.

De sprong is genomen

'Hij is op het moment een schatje. Hij lacht de hele dag door. Speelt soms wel een uur in de box en kan heel lief spelen. Hij lijkt de laatste week ook een ander kind. Hij ziet er niet meer zo opgeblazen uit en voelt heel soepel aan. Hij was altijd wat log, maar nu geeft hij veel meer mee. Hij is veel levendiger, actiever en ondernemender.' (Dirk, week 42)

'Hij begrijpt veel meer en krijgt een ander "plaatsje". Meer erbij. Ik moet makkelijker met hem kunnen praten. Bijvoorbeeld aan tafel moet hij 'n meer communiceerbaar plaatsje hebben. We moeten op praatafstand zitten. Dat is belangrijk nu. Hij is buitenshuis ook veel meer op andere mensen gericht. Hij maakt ook meteen contact. Doet dat door bellen te blazen, bepaalde "roepgeluiden" te maken of door vragend zijn hoofdje scheef te houden.' (Bob, week 40)

Tussen 40 en 45 weken breekt weer een makkelijke periode aan en worden veel baby's één tot drie weken lang geprezen om hun vooruitgang, hun zelfstandigheid en vrolijkheid. Alles heeft nu hun interesse. Van mensen te paard tot bloemen, bladeren, mieren en mugjes. Veel kinderen zijn dan ook duidelijk liever buiten dan in huis. Ook andere mensen spelen opeens een veel grotere rol in hun leven. Zij maken veel vaker contact met hen en zijn eerder bereid om ook een spelletje met hen te spelen. Kortom, baby's horizon is breder dan ooit.

foto

Na de sprong

Leeftijd : ....

Wat opvalt : ....

Lief en leed rond 46 weken

Rond 46 (44-48) weken merk je dat je baby er weer een nieuw vermogen heeft bijgekregen. Je merkt dat hij dingen doet of wil doen, die nieuw voor hem zijn. Hij laat daarmee zien dat zijn ontwikkeling een sprongetje maakt. Toch heeft hijzelf die sprong al eerder gevoeld.
Rond 42 (40-44) weken wordt je baby weer hangeriger dan hij de laatste een tot drie weken was. Hij merkt dat zijn wereld anders is dan hij dacht, dat hij hem anders beleeft dan hij gewend is. Hij merkt dat hij dingen ziet, hoort, ruikt, proeft en voelt, die onbekend voor hem zijn. Hij raakt daardoor van slag en klampt zich zo goed als hij kan vast aan de meest vertrouwde plek die hij kent: Mama. Deze hangerige periode duurt bij de meeste baby's vijf weken, maar hij kan ook drie tot zeven weken duren.

OM TE ONTHOUDEN
Als jouw baby 'hangerig' is, let dan alvast op nieuwe vaardigheden of pogingen daartoe.

De sprong kondigt zich aan: terug naar mama

Alle baby's zijn huileriger dan ze de laatste week of weken waren. Moeders noemen hen hangerig, mopperig, zeurderig, pieperig, dreinerig, chagrijnig, ongedurig en onrustig. Ze doen alles om vaker óp, aan en rond mama te komen en te blijven. Sommigen zijn daar de hele dag mee bezig, anderen alleen een gedeelte daarvan. De ene baby is ook veel fanatieker dan de andere. Er zijn er die alle mogelijkheden gebruiken die ze maar kunnen bedenken, om bij mama te blijven.

> 'Wanneer zijn broer een beetje in de buurt komt en hem aanraakt, begint hij al te huilen, omdat hij weet dat huilen een reactie bij mij veroorzaakt.' (Rudolf, week 41)

Alle baby's huilen minder als ze bij mama zijn. En ze zeuren nog minder als ook mama's aandacht volledig op hen is gericht.

> 'Omdat ik het mekkeren zoveel mogelijk wil stoppen, doen we alles samen. Ik doe mijn huishouden met haar op mijn heup of op mijn arm, want als ze rond mijn been hangt kan ik geen stap verzetten. Ik vertel haar wat ik doe, hoe ik koffie zet, de filter pak en ga zo maar door. Ook gaan we meestal samen naar de w.c. En als ik alleen ga, laat ik de deur open. Enerzijds omdat ik dan kan zien of ze iets gevaarlijks doet, anderzijds omdat ze me dan kan zien en naar believen kan volgen. En dat gebeurt dan ook altijd. Alléén als ik zo te werk ga, is er "rust" voor ons allebei.' (Xara, week 43)

Hoe merk je dat je baby 'bij mama wil blijven'?

Hangt hij vaker aan je rokken?
Sommige baby's doen alle moeite om zo dicht mogelijk bij moeder in de buurt te zijn. Ze klampen zich letterlijk aan haar vast, ook als er geen 'vreemden' in de buurt zijn. Er zijn ook baby's die niet per se aan moeder gaan hangen, maar die wel opvallend dichter bij haar in de buurt blijven. Ze houden haar wat meer in de gaten. En er zijn er die geregeld even terug gaan naar moeder, alsof ze even 'mama moeten tanken', om daarna weer met een gerust hart weg te kunnen gaan.

'Hij wil de hele dag op schoot, op de arm, over me heen kruipen, op me zitten of aan mijn benen hangen. Echt zo'n parasiet die op een vis geplakt zit. En zet ik hem neer, dan barst hij in tranen uit.' (Bob, week 41)

'Ze gaat op mijn schoen zitten en klampt zich rond mijn been vast. En als ze daar eenmaal hangt, gaat ze ook niet meer uit zichzelf weg. Dan moet ik haar echt met een afleidingsmanoeuvre neerzetten en dat mislukt bijna altijd.' (Xara, week 43)

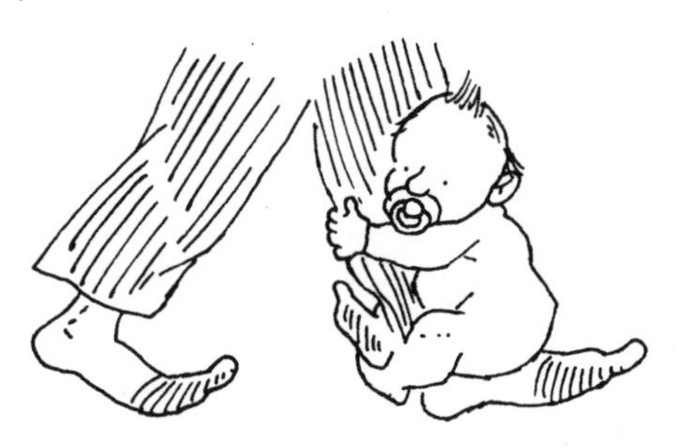

'Ze is momenteel veel bij mij in de buurt, maar ze gaat wel haar eigen gang. Ze cirkelt eigenlijk als een planeet rónd en mét moeder-aarde mee. Ben ik in de kamer, dan is ze naast me bezig, en ga ik naar de keuken, dan ruimt ze daar naast me een kast uit.' (Jetteke, week 47)

'Hij komt vaak even buikje tegen buik vrijen en rent dan weer weg. Dit valt me vooral op, als ik ergens zit of gehurkt bezig ben. Ik noem het "mama tanken".' (Thijs, week 41)

Is hij eenkennig?
Als vreemden in de buurt zijn, naar de baby kijken, met hem praten of erger nog een hand naar hem uitsteken, worden veel baby's nog 'hangeriger aan moeder' dan zij vaak al zijn.

'Het viel mij deze week op dat ze wat erg veel aan mij gaat hangen. Wanneer nu een "vreemde" zijn armen naar haar uitsteekt, klampt ze zich aan mij vast. Maar als men haar dan eventjes de tijd gunt, gaat ze toch vaak zelf op die ander af. Ze moeten haar niet te snel oppakken.' (Ashley, week 47)

'Hij is wat verlegen. Als hij nieuwe mensen ziet of als iemand plotseling binnenkomt (zelfs zijn vader!), duikt hij weg in mijn nek. Het is wel weer snel over. Hij moet even wennen.' (Thijs, week 42)

'Hij is méér eenkennig dan ooit tevoren. Opa mocht zelfs niet naar hem kijken.' (Rudolf, week 43)

Wil hij niet dat je lichaamscontact verbreekt?
Sommige baby's klampen zich extra stevig vast als ze moeder te pakken hebben, of als ze op schoot zitten. Alsof ze haar niet de gelegenheid willen geven om het contact te verbreken. Er zijn ook baby's die heel nijdig worden als ze neergezet worden, of als moeder een stukje verder de kamer inloopt om even iets te pakken of te doen.

'Als we even uit elkaar gaan, huilt ze nijdig en "aanvallend". En als ik dan terug ben, slaat, krabt, knijpt en duwt ze me altijd eerst even. Is de hond in de buurt, dan pakt ze hem onmiddellijk. Ze heeft al eens een snorhaar in haar hand gehad.' (Xara, week 43)

Wil hij vaker beziggehouden worden?
De meeste baby's gaan meer aandacht vragen. Ook makkelijke baby's doen liever iets samen met moeder. Veel aandacht eisende baby's doen dat liefst dag en nacht. Sommigen zijn pas tevreden, als moeder volledig op hen gericht is. Ze mag dan alleen naar hém kijken en met hém bezig zijn.

'Hij komt steeds even een boekje lezen en blijft dan ook "geduldiger" zitten. Heerlijk. Ik kom helemaal aan mijn trekken. Hij is altijd zo druk in de weer. Als hij dan eens bij me wil zijn, haal ik gauw de schade in.' (Paul, week 44)

'Hij wordt over het algemeen minder actief. De motorische ontwikkeling stopt wat. Hij heeft nu minder aandacht hiervoor. Ook zijn speelgoed is niet in trek. Zelfs als ik meespeel, is zijn interesse van zeer korte duur. Liever heeft hij mij als speelgoed.' (Bob, week 41)

'Als hij aan de borst is, mag ik niets doen, met niemand praten, maar dan moet ik naar hem kijken, aan hem peuteren of hem aaien. Zodra ik daar even mee ophoud, wriemelt hij ongedurig en schopt nijdig, zo van "*Hier* ben ik".' (Thijs, week 43)

Is hij jaloers?
Hij is wat extra chagrijnig, ondeugend of overdreven lief als moeder aandacht heeft voor iets of iemand anders. Moeders vragen zich dan ook af of hij jaloers kan zijn. Die ontdekking verrast ze.

'Ik heb een oppasbaby van vier maanden in huis, die ik de fles moest geven. Hij vindt dat altijd heel interessant. Maar deze week was hij niet te genieten. Hij deed steeds dingen die hij normaal niet doet. Hij was echt lastig, stierlijk. Volgens mij was hij wat jaloers. De lieverd.' (Jan, week 44)

Heeft hij een sterk wisselend humeur?
Zo'n baby is de ene dag heel vrolijk en de volgende helemaal het tegenovergestelde. Ook kan zijn stemming ineens omslaan. Het ene moment is hij vrolijk bezig, om dan te dreinen en te chagrijnen. Zomaar, zonder dat moeder daar een aanleiding toe ziet. Dit maakt haar soms onzeker.

'Ze was heel hangerig en huilerig en dan weer had ze het grootste plezier: Jantje lacht, Jantje huilt. Je weet dan niet wat je moet doen. Zou ze ineens pijn krijgen?' (Nina, week 43)

Slaapt hij slechter?
De meeste baby's slapen minder. Ze willen niet naar bed, komen moeilijker in slaap en ze zijn eerder wakker. Sommigen zijn vooral overdag lastige slapers. Anderen 's nachts. Weer anderen gaan zowel overdag als 's avonds met tegenzin slapen.

'Ze heeft weinig slaap nodig. Ze is 's avonds uren langer op en speelt vrolijk.' (Odine, week 43)

'Is 's nachts wel 2 à 3 keer wakker en slaapt 's middags ook slecht. Soms ben ik wel drie uur bezig om haar te laten slapen.' (Jetteke, week 48)

'Ze wil maar niet naar bed. Huilen.' (Juliette, week 42)

'Hij is onrustiger. Wordt 's avonds een paar keer wakker. Als hij naar bed gaat, moet je hem tot rust dwingen.' (Dirk, week 45)

'Hij sliep zo lekker uit. Doet dat jammer genoeg niet meer.' (Thijs, week 41)

Heeft hij 'nachtmerries'?
Soms slaapt een baby heel onrustig. Hij kan zelfs zo tekeergaan, dat moeder denkt dat hij een nachtmerrie heeft.

'Zij werd nijdig-gillend wakker. Hetzelfde gegil dat ze laat horen als ze boos is. Ze moet dus iets gedroomd hebben dat haar niet beviel.' (Xara, week 45)

Is hij 'stiller'?
Sommige baby's zijn tijdelijk wat rustiger. Ze zijn minder actief of 'kletsen' wat minder. Soms doen zij even helemaal niets meer en staren wat voor zich uit. Dit laatste zien moeders niet graag. Ze vinden het 'abnormaal' en proberen de dromer te activeren.

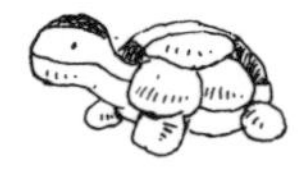

'Ze is niet zo actief meer. Ze zit geregeld met grote ogen een tijdje rond te kijken.' (Odine, week 45)

'Hij zit af en toe een minuut voor zich uit te kijken. Was vroeger eigenlijk altijd bezig.' (Thijs, week 43)

'Hij is passiever, stiller. Soms staart hij een moment in de verte. Ik vind dat altijd akelig. Net of hij niet "normaal" is.' (Bob, week 41)

Wil hij niet verschoond worden?
Veel baby's zijn ongeduldig en ongedurig als ze aangekleed, uitgekleed of verschoond worden. Ze zeuren, krijsen en draaien. Soms raken moeders geïrriteerd. Soms zijn ze bezorgd.

'Hij ligt geen moment stil. Het is af en toe net een worstelpartij om zijn luier om te krijgen. Ik vind het heerlijk dat hij wat actiever is, maar hij kan ook wel even stil liggen.' (Dirk, week 43)

'Uitkleden, aankleden en verschonen waren een ramp. Was een tijdje geleden ook al het geval. Daarom dacht ik dat ze misschien wat last heeft van de onderkant van haar ruggetje. En dat maakte me steeds bezorgder. Ik ben toen naar de kinderarts gegaan, maar haar rug was prima in orde. Hij wist het ook niet. En nu is het vanzelf over!' (Juliette, week 46)

Eet hij slechter?

Veel baby's lijken minder geïnteresseerd in eten en drinken. Ze verorberen iets als en wanneer ze er zin in hebben. Moeders vinden slecht eten altijd zorgelijk en ergerlijk.

'Hij eet slecht. Wel wil hij overdag zomaar tussendoor aan de borst. Hij begint dan te jengelen en aan mijn bloes te trekken. Werd ook 's nachts veel wakker, wilde alleen borstvoeding. Ik vraag me dan steeds weer af of hij zo wel binnenkrijgt wat hij nodig heeft.' (Thijs, week 43)

Gedraagt hij zich babyachtiger?

Soms steekt een schijnbaar verdwenen babygedrag weer even de kop op. Moeders zien het niet graag dat hun baby zich jonger gedraagt. Ze denken dat zoiets niet normaal is en willen er liefst zo snel mogelijk een einde aan maken. Toch is een achteruitgang tijdens hangerige perioden heel gewoon. Het betekent dat er een vooruitgang op komst is.

'Ze heeft duidelijk vaker gekropen deze week. Hopelijk komt het niet door haar heupen, of omdat ze zo vroeg liep.' (Jetteke, week 44)

'Hij wil niet meer zelf de fles vasthouden, maar wil het liefst languit in mijn armen liggen en dan op die manier drinken. Een tijdje geleden wou hij per se zelf de fles vasthouden. Ik voelde dat die terugval me eigenlijk flink dwarszat. Ik dacht: Hou op jochie, dat kun je toch zelf. Een paar keer zette ik zijn handjes aan de fles, maar hij wou niet.' (Bob, week 41)

'Ik moest hem vaak voor het slapen weer even wiegen.' (Steven, week 41)

'Hij wil niet meer staan, zakt direct door zijn knietjes. Wat actie betreft, is hij toch een stuk luier geworden.' (Bob, week 41)

Is hij overdreven lief?

Baby's die hangerig zijn, kunnen ook op een vriendelijke manier meer lichaamscontact of aandacht vragen. Dit komt steeds vaker en verfijnder voor. Ze komen met boekjes of speelgoed aandragen, om daar samen mee te spelen. Ze lokken moeder uit om spelletjes te spelen. Ze leggen een hand op moeders schoot. Kruipen tegen haar aan. Of leggen een hoofdje tegen haar aan en lachen haar vriendelijk toe. Vaak wisselen ze 'lastig' en 'lief' om lichaamscontact of aandacht vragen af. Baby's proberen vaak gewoon uit wat het beste werkt op dat moment van de dag, in die situatie.

Moeders van niet-knuffelige baby's vinden het heerlijk, als ze hem eindelijk weer eens lekker kunnen pakken!

'Ze kwam af en toe even knuffelen. Kwam ook heerlijk bij me zitten, als ik met iemand zat te praten. Ze was zéér innemend deze week.' (Ashley, week 46)

'Ze kwam opvallend vaak een beetje vrijen.' (Jetteke, week 45)

'Hij was erg knuffelig en wilde steeds aan mij hangen.' (Thijs, week 42)

'Hij legt vaak zijn hoofdje tegen me aan, geeft "kopjes" en begint tegen me te lachen.' (Bob, week 43)

'Als hij in het fietsstoeltje zit of in de wandelwagen, kijkt hij steeds om of ik er nog wel ben en geeft dan een handje.' (Paul, week 44)

'Ze wil vaker op schoot met een boekje. Ze blijft dan ook heerlijk tegen me aan zitten!' (Jetteke, week 47)

'Ze kruipt steeds achter me aan. Als ze dan om het hoekje van de deur komt, schenkt ze me een brede lach en kruipt weer hard de andere kant op. Dit vinden we samen een enig spelletje.' (Ashley, week 43)

Is hij opvallend ondeugend?
Sommige moeders valt het op dat hun baby ondeugender is dan hij was. Hij lijkt precies dát te doen wat niet mag. Hij is vooral ondeugend, als moeder vlug iets af wil werken en dus druk bezig is.

'We mogen niet met onze eigen zaken bezig zijn. Alles wat verboden is, is dan opeens heel interessant, zoals de telefoon en de naald en knopjes van de pick-up. We moeten constant opletten.' (Jetteke, week 47)

'Ze kruipt me steeds na. Ik vind dat enig. Maar als ze dat niet doet, zet ze de zaak op stelten. Ze haalt de boeken uit de boekenkast en de aarde uit de planten. En ze blijft er naar teruggaan.' (Ashley, week 43)

'Ze kruipt steeds naar dingen die niet mogen, als ik even druk ben.' (Nina, week 43)

'Hij klampt zich de hele dag aan me vast en, als hij niet bij me is, loop ik te verbieden en dingen af te pakken.' (Rudolf, week 43)

BABY VAN SLAG: HOE TOONT HIJ DAT?

- Huilt vaker. Is vaker chagrijnig, mopperig, dreinerig .... ☐
- Is het ene moment vrolijk en het volgende huilerig .... ☐
- Wil vaker beziggehouden worden .... ☐
- Hangt vaker aan je rokken of wil dichter bij je in de buurt blijven .... ☐
- Is 'overdreven' lief .... ☐
- Is 'overdreven' ondeugend .... ☐
- Krijgt (vaker) driftbuien .... ☐
- Is jaloers .... ☐
- Is (vaker) eenkennig .... ☐
- Protesteert wanneer je lichaamscontact verbreekt .... ☐
- Slaapt slechter .... ☐
- Heeft (vaker) 'nachtmerries' .... ☐
- Eet slechter .... ☐
- 'Kletst' minder .... ☐
- Is minder beweeglijk .... ☐
- Zit soms stilletjes te dromen .... ☐
- Wil niet verschoond worden .... ☐
- Zuigt (vaker) op de duim .... ☐
- Pakt (vaker) een knuffel .... ☐
- Gedraagt zich babyachtiger .... ☐
- Wat verder opvalt: ....

....

Zorgen[1], irritaties en ruzies

Moeder voelt zich onzeker

Moeders maken zich regelmatig zorgen, als hun kind laat zien dat hij van slag is. Ook zoeken zij een reden voor het huileriger zijn. Dat stelt ze gerust. Op deze leeftijd zijn dat meestal 'doorkomende kiezen'.

'Ik denk dat hij last van zijn mondje had, want hij was niet zijn makkelijke zelf.' (Jan, week 43)

'Hij huilde vaker, was op de een of andere manier niet uitgeslapen.' (Dirk, week 43)

[1] Vraag bij twijfel altijd advies aan je huisarts of het consultatiebureau.

'Ze is "pieperig" en hangt om me heen als ik bezig ben. Misschien kan ze wat minder hebben van de twee andere meiden.' (Juliette, week 42)

Moeder raakt uitgeput

Moeders van baby's die veel aandacht vragen en daarbij weinig slapen, voelen zich tegen het einde van de hangerige periode intens moe. Daarbij klagen enkele van hen ook over rugpijn, hoofdpijn, misselijkheid en concentratiestoornissen.

'Ik voel me compleet ingestort, omdat ik geen steun en begrip krijg. Zou zo graag één avondje rust hebben. 's Avonds blijf ik op en neer naar boven lopen. Vaak tot midden in de nacht. Ik vind dit de moeilijkste leeftijd tot nu toe. Deze brief bleef ook steeds liggen. Kon me er niet op concentreren en legde hem dan weer weg. Echt een instorting.' (Xara, week 46)

Moeder ergert zich en doet er ook wat aan

Tegen het einde van deze hangerige periode beginnen moeders zich steeds vaker te ergeren aan het hangerige gedrag van hun baby. Ze ergeren zich eraan dat ze volledig in beslag worden genomen door hem en geen eigen leven meer overhouden.

'Ik vind het vermoeiend om letterlijk geen stap te kunnen verzetten. En het continu aandacht vragen of anders een huilbui, vind ik langzaamaan zéér irritant. Soms krijg ik het gevoel dat ik naar zijn pijpen dans en dan voel ik weerstand in me. Ik word het dan een beetje zat. Ik zit ontzettend te dubben of ik hem toch terug zal doen op de crèche. Ik heb hem een paar weken thuisgehouden. Dat voelde aanvankelijk beter, maar nu merk ik dat ik me soms weer wat agressief ga voelen.' (Bob, week 46)

'Ik heb het druk en kan het niet meer hebben als ze aan mijn benen hangt of voor het aanrecht is, als ik daar bezig ben. Als ik er genoeg van heb, gaat ze nu het bed in. Ik word misschien wat ongeduldiger.' (Juliette, week 45)

'Ik heb toch de makkelijkste baby die er bestaat, maar als hij een keer zo huilt, merk ik toch dat ik daar wat ongeduldig van word en hem dan zijn bed in wens.' (Jan, week 43)

Soms ergeren moeders zich omdat ze eigenlijk al aanvoelen dat de baby meer kan dan hij laat zien en zich te 'baby-achtig' gedraagt voor zijn leeftijd. Ze vinden dat het tijd wordt dat hij zich zelfstandiger gaat gedragen.

'Als ik hem op de bank leg voor een nieuwe luier, zet hij altijd een keel op. Ook met schone kleren aantrekken. Dit ergert me steeds meer. Vind ik hem te groot voor, merk ik. Hij zou eigenlijk kunnen beginnen om wat mee te werken.' (Bob, week 47)

Ruzies

Aan het einde van iedere hangerige periode valt het steeds weer op dat moeders die borstvoeding geven, willen stoppen. Eén van de redenen daarvoor is, dat de baby de hele dag aan de borst wil. Moeder raakt daardoor geïrriteerd en begint de borst te weigeren. Dát pikt de baby niet en voor je het weet is er ruzie.

> 'Ik erger me steeds heviger en vaker, omdat ik hem weer constant aan de borst in slaap moet sussen. Ik was daar opnieuw mee begonnen, toen hij zo moeilijk in slaap kon komen. Het wordt nu weer een gewoonte. Hij wil trouwens veel borstvoeding en schreeuwt, als hij zijn zin niet krijgt. Ik heb er geen zin meer in!' (Thijs, week 47)

Als moeders toch borstvoeding blijven geven, herstelt zich het normale drinkpatroon weer meteen ná de hangerige periode. En dan zijn moeders hun irritaties ook prompt weer vergeten.
Ruzies kunnen ook ontstaan rond de 'onderhandelingen' over lichaamscontact en aandacht.

> 'Ik erger me bij constant janken om op schoot te mogen. En het maakt me ontzettend boos als hij me bijt omdat ik niet vlug genoeg reageer. Het doet zó zeer, dat ik hem automatisch een zet geef. Een keer viel hij hard met zijn hoofd tegen de verwarming. Dat was niet de bedoeling, maar ik was razend. Ik kan trouwens z'n gekleef ook niet meer hebben. Het irriteert me. Vooral als er andere mensen bij zijn.' (Rudolf, week 44)

Het nieuwe vermogen breekt door

Rond 46 weken ontdek je dat je baby rustiger wordt. Dat hij dingen probeert of doet die weer helemaal nieuw zijn. Je merkt dat hij anders omgaat met zijn speelgoed. Andere dingen leuk vindt. Dat hij preciezer bezig is dan ooit tevoren. Dat hij nóg meer op details let. Deze verandering zie je, omdat op deze leeftijd bij iedere baby het vermogen tot het waarnemen en zelf maken van 'opeenvolgingen' doorbreekt. Je kunt dit vermogen vergelijken met een volgende winkel, die wordt geopend en waarin een uitgebreide schakering aan opeenvolgingen-koopwaar ligt. Jouw baby met zijn aanleg, voorkeur en temperament maakt zijn eigen keuze. Hij kan weer uitgebreid winkelen en zich nieuwe dingen eigen maken. En als volwassene kun je hem daarbij helpen.

De sprong: de 'winkel van de opeenvolgingen'

Sinds de vorige sprong beseft je baby dat sommige dingen zóveel met elkaar gemeen hebben, dat ze tot één groepje ofwel categorie behoren. Daarbij was te zien dat hij dingen 'afbrekend', uit-elkaar-halend bestudeerde. Zo brak hij bijvoorbeeld een blokkentoren blok na blok af. Of hij haalde een sleutel uit het slot of maakte een hendel los.
Als het vermogen tot het waarnemen en zélf uitvoeren van 'opeenvolgingen' doorbreekt, is je baby veelal 'opbouwend', in-elkaar-zettend of 'koppelend' bezig. Hij kan nu bijvoorbeeld een sleutel van tafel pakken en die *daarna* in het slot van de kast steken. Hij kan eerst zand op de schep scheppen en dat *daarna* in de emmer gooien. Als hij met of zonder je hulp achter een bal aanrent, richt hij eerst en schopt *daarna* tegen de bal. Bij

het zingen van een liedje als 'Klap eens in je handjes', kan hij *achtereenvolgens* verschillende gebaren maken, zonder dat je ze hoeft voor te doen. Hij kan nu voor het eerst zelf eten op zijn lepel scheppen en deze *vervolgens* in zijn mond stoppen. Hij kan proberen zijn schoen aan te trekken door hem te pakken en deze *daarna* tegen zijn voet te wrijven. Hij pakt de trui, die je juist hebt uitgetrokken en op de grond hebt laten vallen, en stopt die *daarna* in de wasmand (waar deze thuishoort!).

Je baby gaat nu beseffen dat hij iedere handeling altijd in een bepaalde volgorde zal moeten maken, als hij tenminste succes wil hebben. Je ziet nu dat je baby eerst bekijkt welke dingen bij elkaar passen en hoe ze bij elkaar passen, *alvorens* hij probeert ze in, aan of op elkaar te doen. Hij zal bijvoorbeeld eerst goed richten, als hij het ene blok op het andere wil zetten. Hij zal pas een vorm door een gat in zijn blokkenstoof duwen, *nadat* hij de vorm met het gat heeft vergeleken en de juiste heeft gekozen. Het valt dan ook op dat de baby nu 'bewuster' dan ooit bezig is. Dat hij nu weet wat hij doet.
Je kunt ook aan de reacties van je baby merken dat hij nu gaat beseffen hoe bepaalde gebeurtenissen elkaar normaal gesproken opvolgen. Hij weet dus wat de volgende stap in de 'opeenvolging' is.

> 'Als het muziekbandje afgelopen is, kijkt hij op naar de cassetterecorder, niet meer naar de geluidsbox. Hij weet nu dat ik daar iets moet doen, wil hij weer kunnen luisteren.' (Bob, week 48)

Ook gaat je baby nu *achtereenvolgens* verschillende mensen, dieren of dingen aanwijzen en 'benoemen'. Als hij dat in z'n eentje doet, zegt hij nog vaak: 'da' in plaats van het juiste woord. Als hij het samen met jou doet, zal hij zelf aanwijzen en willen dat jij benoemt. Of dat jij het geluid geeft dat bij het dier of ding hoort dat hij aanwijst. Andersom wil hij ook graag dat jij aanwijst en hij dan alles op zijn manier kan benoemen. En natuurlijk zal hij niet protesteren als jij én aanwijst én benoemt. Ook kun je nu gaan zien dat je baby, als hij op je arm zit, in de richting gaat wijzen waarin híj wil dat jíj loopt.
Het actief benoemen van mensen, dieren of dingen, of onderdelen daarvan, komt rond deze leeftijd voor het eerst voor. Het kan worden gezien als het koppelen van een uitgesproken woord of geluid aan een mens, dier of ding. Als zodanig is het ook een opeenvolging.
Nu de baby opeenvolgingen kan waarnemen en zelf kan maken, heeft hij ook de keus ze *niet* te maken. Zo ging één baby het woord 'bah' niet alleen gebruiken bij alles wat vies was, maar ook bij alles waar hij voorzichtig mee moest omgaan.

WAT HEEFT DE 'WINKEL VAN DE OPEENVOLGINGEN' IN DE AANBIEDING?

De afdeling 'het aanwijzen en het koppelen van een woord of geluid aan een mens, dier, ding of een onderdeel daarvan':

- Wijst achtereenvolgens mensen, dieren of dingen, die je opnoemt, aan op een grote plaat of poster of in het echt .... ☐
- Wijst achtereenvolgens zelf mensen, dieren of dingen aan en wil dat je ze benoemt .... ☐
- Wijst achtereenvolgens zelf mensen, dieren of dingen aan en benoemt zelf .... ☐
- Bladert bewust in een boekje en maakt allerlei geluiden bij de plaatjes .... ☐
- Als je vraagt: 'Waar is je neus?', wijst hij zijn neus aan .... ☐
- Hij wijst zelf bijvoorbeeld zijn of jouw neus aan en jij moet die benoemen .... ☐
- Imiteert de geluiden van het dier dat je opnoemt. Bijvoorbeeld, als je vraagt: 'Wat doet het poesje?', zegt hij 'Miauw.' .... ☐
- Als je vraagt: 'Hoe groot word jij?', doet hij zijn armen omhoog .... ☐
- Zegt: 'Hap' als hij de volgende hap wil .... ☐
- Zegt: 'Nee, nee' als hij iets niet wil doen of krijgen .... ☐
- Zegt in verschillende omstandigheden hetzelfde woord, omdat dat woord voor hem een betekenis heeft. Bijvoorbeeld: zegt 'Bah' als iets vies is, maar ook als hij moet uitkijken of als hij voorzichtig moet doen. 'Bah' heeft voor hem de betekenis van 'afblijven' .... ☐
- Wat verder opvalt: ....

  ....

De afdeling 'weten wat "bij elkaar" hoort en wat "na elkaar" gedaan moet worden':

- Weet dat hij een rond blok door een rond gat kan duwen. Kiest feilloos het ronde blok uit een stapel blokken en duwt het door het ronde gat van een blokkenstoof .... ☐
- Kan een eenvoudige driedelige puzzel in elkaar zetten .... ☐
- Kan munten in gleufjes stoppen .... ☐
- Probeert allerlei maten vierkante bakjes in elkaar te stoppen .... ☐
- Pakt een sleutel van de tafel en steekt hem in het slot van de kast .... ☐
- Kijkt naar het licht en grijpt ernaar als je op het lichtknopje drukt .... ☐
- Weet dat bij de hoorn van de telefoon 'praten' hoort .... ☐
- Stopt bijvoorbeeld blokjes in een doosje, doet het deksel dicht, doet het deksel weer open, haalt de blokjes eruit en begint weer opnieuw .... ☐
- Doet ring(en) om een piramide .... ☐
- Rijdt met auto's en maakt een 'brrrm'-geluid .... ☐

- Schept zand op de schep en in de emmer ☐
- Vult, als hij in bad zit, een gietertje onder water en giet het dan leeg ☐
- Bekijkt twee duplostenen goed en probeert ze dan aan elkaar vast te maken ☐
- Probeert met een potlood op papier te krassen ☐
- Wat verder opvalt: ....

De afdeling 'werktuiggebruik':

- Vindt zelf een object, dat hij gebruikt als hulp bij het leren lopen ☐
- Maakt een la open en gebruikt die als opstap om op een kast te klimmen ☐
- Wijst vaak met de vinger waar hij naar toe wil, als hij bij moeder op de arm zit. Moeder moet daar dan naar toe lopen ☐
- Wat verder opvalt: ....

De afdeling 'motoriek':

- Klautert achterstevoren de trap, bank of stoel af. In het begin kruipt hij soms al achterstevoren een kamer uit voor hij aan de afdaling begint ☐
- Gaat op zijn hoofd staan, alvorens kopje te duikelen met hulp ☐
- Zakt door de knieën en strekt zijn benen daarna met kracht, zodat hij met de voeten van de vloer springt ☐
- Rent (met of zonder hulp) achter een bal aan, richt en schopt de bal weg ☐
- Kijkt eerst of hij binnen het aantal stappen dat hij los kan lopen een ander steunobject kan bereiken ☐
- Wat verder opvalt: ....

De afdeling 'uitnodigen tot spel':

- Speelt echt met je. Maakt duidelijk welke spelletjes hij wil spelen, door te beginnen en je dan afwachtend aan te kijken ☐
- Herhaalt een spelletje ☐
- Lokt je uit tot hulp. Doet alsof hij hulp nodig heeft ☐
- Wat verder opvalt: ....

De afdeling 'zoeken en verstoppen':

- Zoekt iets dat je helemaal onder iets anders hebt verstopt. Dat kan zijn bij een spelletje, of omdat je niet wilt dat hij ergens aankomt ☐
- Verstopt zelf iets dat van iemand anders is, wacht af en lacht als die ander het vindt ☐

- Wat verder opvalt: ....
  ....

De afdeling 'nadoen van een serie gebaren':
- Imiteert twee of meerdere gebaren, die je na elkaar maakt ...... ☐
- Bestudeert hoe dezelfde serie gebaren er in werkelijkheid en in de spiegel uitziet .... ☐
- Doet de verschillende gebaren mee, als je een liedje met hem zingt .... ☐
- Wat verder opvalt: ....
  ....

De afdeling 'helpen in de huishouding':
- Geeft dingen aan die je wilt opbergen in de kast. Bijvoorbeeld zijn luiers. Hij geeft ze bij voorkeur één voor één aan ..... ☐
- Gaat en haalt eenvoudige dingetjes, bijvoorbeeld een borstel als je daarom vraagt terwijl je bezig bent .... ☐
- Pakt de trui die je juist hebt uitgetrokken en stopt die in de wasmand .... ☐
- Pakt eigen emmertje met 'poppewas' en stopt die in de wasmachine .... ☐
- Pakt de handveger of stofzuiger en 'veegt' ermee over de vloer .... ☐
- Pakt een doekje en 'stoft' .... ☐
- 'Roert' ook in een kom, als je een cake bakt .... ☐
- Wat verder opvalt: ....
  ....

De afdeling 'zichzelf aankleden en verzorgen':
- Probeert zichzelf uit te kleden. Wil sok uittrekken en trekt aan de tenen. Probeert hemd uit te trekken .... ☐
- Probeert zelf zijn sok/schoen aan te doen. Bijvoorbeeld: pakt zijn sok/schoen en voet vast en wrijft ze tegen elkaar ...... ☐
- Kan meewerken als je hem aankleedt. Meebewegen als je een trui aan- of uittrekt. Eventueel een arm uitsteken, die door de mouw moet. Zijn voet uitsteken, als de schoen of sok komt .... ☐
- 'Borstelt' zijn haren .... ☐
- 'Poetst' zijn tanden .... ☐
- Plast soms op een potje .... ☐
- Wat verder opvalt: ....
  ....

De afdeling 'zelf eten en anderen voeren':
- Biedt met eten of drinken anderen een hapje of een slokje aan .... ☐
- Blaast eigen eten koud, voordat hij een hap neemt .... ☐
- Prikt aan een (taart)vorkje een blokje brood en eet dat .... ☐
- Kan eten op een lepel scheppen en vervolgens in de mond stoppen .... ☐
- Wat verder opvalt: ....

Bedenk steeds dat je baby nooit in één klap alle 'goederen' in deze winkel kan opkopen. Met 46 weken krijgt hij voor het eerst toegang tot de winkel. Maar wannéér hij zich wát eigen maakt, hangt af van de interesse van de baby en de gelegenheid die hij krijgt.

Wat kiest jouw baby uit de 'winkel van de opeenvolgingen'?

Alle baby's hebben het vermogen tot het waarnemen en zelf maken van 'opeenvolgingen' gekregen. De nieuwe winkel, vol met nieuwe mogelijkheden, staat voor allemaal open. Jouw baby maakt zijn eigen keus. Hij pakt dat wat het beste past bij zijn aanleg, interesse, lichaamsbouw en gewicht. Vergelijk je baby daarom niet met een andere baby. Iedere baby is uniek.

Kijk goed naar je baby. Stel vast waar zijn interesse naar uit gaat. In het kader: 'Wat heeft de "winkel van de opeenvolgingen" in de aanbieding?' is ruimte om aan te geven wat je baby kiest. Zelf kun je er ook 'winkelen', om te zien of er dingen bij zijn waarvan je denkt dat je baby ze ook leuk zal vinden.

ZO ZIJN BABY'S

Alles wat nieuw is, vindt je baby het leukst. Reageer daarom altijd en vooral op nieuwe vaardigheden en interesses die je baby toont. Hij leert dan prettiger, makkelijker, sneller en meer.

De uitwerking van de sprong: Help je baby bij het leren

Iedere baby heeft tijd en hulp nodig, om het nieuwe vermogen zo goed mogelijk uit te werken in vaardigheden die hij onder de knie heeft. Als moeder kun je hem daarbij helpen. Je kunt hem de gelegenheid en de tijd geven om met 'opeenvolgingen' te spelen. Je kunt hem aanmoedigen en troosten als hem iets niet meteen lukt. Je kunt hem nieuwe ideeën aanreiken.

Geef je baby de gelegenheid zoveel mogelijk in contact te komen met 'opeenvolgingen'. Laat ze hem zien, horen, voelen, ruiken en proeven, net wat hij het prettigst vindt. Hoe meer hij ermee in contact komt, ermee speelt, des te beter zijn begrip ervan wordt. Het doet er niet toe of je baby dat begrip nu het liefst leert op het gebied van observeren, het hanteren van speeltjes, taal, geluiden, muziek of op motorisch gebied. Hij zal dat begrip later makkelijk ook op andere gebieden gaan gebruiken. Hij kan nu eenmaal niet alles tegelijk doen.

Wil je baby alles 'zelf doen'?

Veel baby's weigeren hulp en verzetten zich tegen elke vorm van inmenging van anderen. Alles wat zo'n baby kan of denkt te kunnen, wil hij ook zélf doen. Wil jouw baby dat ook? Wil hij zélf eten? Zélf zijn haar borstelen? Zichzélf inzepen? Zélf proberen om los te gaan lopen? Wil hij alléén de trap op- of afklimmen? En wil hij ook absoluut géén steunende hand meer voelen? Probeer dan zoveel als mogelijk begrip te hebben voor dergelijke wensen. Zij horen bij deze leeftijd.

> 'Hij vond het altijd leuk om samen het lopen te oefenen. Maar als ik hem nu bij zijn handen pak, gaat hij direct zitten. Als ik dan wegga, probeert hij het zelf. En bij iedere looppoging die lichtelijk slaagt, kijkt hij me triomfantelijk aan.' (Paul, week 46)

> 'Hij probeert met een potlood iets op papier te tekenen, net zoals zijn broer dat doet. Maar als zijn broer zijn hand pakt om hem te laten voelen hoe het moet, trekt hij die hand terug.' (Rudolf, week 48)

> 'Als wij samen vormen in de blokkenstoof doen, gooit hij ermee. In de box, als hij alleen speelt, probeert hij dat wél na te doen. Dat ergert me eigenlijk.' (Paul, week 53)

> 'Zij eet alléén als zij zelf het stukje brood in haar mond kan stoppen. Als ík dat doe, haalt zij het er weer uit.' (Laura, week 43)

Experimenteert hij met 'zelf doen'? Let dan op!

Probeert je baby uit of dingen ook anders kunnen? Probeert hij of er andere manieren zijn om de trap op of af te komen? Probeert hij of iets met de linkerhand evengoed gaat als met de rechter? Stopt hij allerlei dingen ergens anders in, ook al weet hij dat het niet zo hoort? Als je baby dat doet, probeert hij gewoon uit. Hij bekijkt wat er gebeurt, als je de 'volgorde' varieert. Want waarom moet wasgoed per se in de wasmand en niet in de vuilnisbak of het toilet? Daar past het immers ook in. Let dus altijd op. Je baby kent nog geen gevaar.

> 'Hij trekt stekkers uit het stopcontact en probeert die dan in de muur te duwen. Ook probeert hij dingetjes met twee uitsteeksels in het stopcontact te steken. Moet dus nóg meer opletten.' (Bob, week 48)

'Als zij op een nachtkastje wil klimmen, trekt ze eerst een laatje open, gaat daarop staan en klimt dan op het nachtkastje. Als ze de la erg ver opentrekt, wankelt het kastje.' (Jetteke, week 49)

'Hij wil met alle geweld alléén de trap op, maar hij doet gevaarlijk. Kruipt op z'n knieën naar de volgende tree, gaat staan, dan weer op z'n knieën verder omhoog, weer staan, enzovoort. Ik vind dat akelig, moet nu goed oppassen.' (Steven, week 45)

TOON BEGRIP VOOR FRUSTRATIES
Het valt veel moeders op dat de baby 'tegendraads' is. Maar als je goed nadenkt, is dat niet zo. Je baby wil gewoon meer zélf doen. Hij begint immers te beseffen wat bij elkaar hoort en in welke volgorde dingen gedaan moeten worden. En ook al moet hij nog veel leren, hij denkt het allemaal al te weten en te kunnen. Hij wil niet langer dat jij dingen voor hem doet, of hem vertelt hoe iets moet. Hij wil dat zélf doen. Maar als moeder ben je dit eigenlijk niet gewend. Automatisch help je, zoals je dat altijd al hebt gedaan. En je weet ook dat je baby datgene wat hij wil, nog niet kan zoals het hoort. En er dus ook een puinhoop van maakt.
De belangen van baby en moeder zijn hier dus strijdig, met alle gevolgen van dien. De baby vindt moeder lastig en moeder vindt de baby lastig. Het is alom bekend dat pubers door een moeilijke periode heengaan, maar baby's kunnen er ook wat van.

Daagt hij je uit?
Krijg je soms het gevoel dat je uren achter elkaar bezig bent met verbieden en afpakken? Observeer je baby dan eens goed. Is hij gewoon ondeugend of wil hij eigenlijk dingen 'zelf doen' en 'zelf beslissen'? En voelt hij zich 'tegengewerkt', omdat iets niet lukt of omdat hij iets niet mag?

'Ze is lastig. Wil in alles haar zin hebben. Wordt nijdig als ik iets weiger dat ze wil hebben of wil doen. Doodmoe word je ervan.' (Jetteke, week 50)

'Hij probeert met schreeuwen en driftaanvallen iets voor elkaar te krijgen.' (Thijs, week 46)

'Als ik mopper, krijst en knijpt ze om zich heen of trekt een plant uit de pot. Ik erger me daar vreselijk aan. Ze is bij de oppas veel liever.' (Laura, week 49)

'We zitten nu in een fase van: "Nee, afblijven" en "nee, niet doen.' Maar hij weet wat hij wil en kan ontzettend kwaad worden, als hij het ergens niet mee eens is. Laatst was hij zó kwaad, dat hij niet eens in de gaten had dat hij los stond.' (Dirk, week 49)

Vertel hem wat hij 'fout' doet
Rond deze leeftijd beginnen baby's uit te proberen hoe ver ze kunnen gaan vóór iemand ze stopt. Maar als ze iets 'fouts', 'stouts' of 'gevaarlijks' doen, mogen ze dat best weten.

NOG EVEN DIT
Ook afleren van oude gewoontes en aanleren van nieuwe regels horen bij de uitwerking van ieder nieuw vermogen. Dát wat je baby nu nieuw begrijpt, kun je ook van hem eisen. Niet méér, maar ook niet minder.

Vertel hem wat hij 'goed' doet

Als hij iets goed doet, prijs hem dan ook. Hij leert dan wat 'goed' is en wat 'fout' is. De meeste baby's vragen daar trouwens zelf om. Als ze iets goed doen, vragen ze voortdurend om een pluim. Ze kijken je aan en lachen vol trots of roepen om aandacht. Ze kunnen het dan ook vele malen blijven herhalen, waarna ze iedere keer weer geprezen willen worden.

> 'Iedere keer als ze een ring om de piramide heeft gedaan, kijkt ze me met een vette glimlach aan en klapt in haar handjes.' (Eefje, week 49)

Leid hem af met dingen die hij leuk vindt

Als je baby gefrustreerd is omdat hij iets niet mag of kan, kun je hem nog makkelijk afleiden met iets wat hij extra interessant vindt. En natuurlijk is dat voor iedere baby wat anders.

> 'Deze week vond hij het heerlijk om te voetballen. Hij schopte dan heel hard tegen de bal en wij liepen dan (hem aan de handjes vasthoudend) er heel hard achteraan. Daar moest hij zo om lachen, dat hij af en toe even op de grond moest gaan liggen om op te kunnen houden met lachen.' (Paul, week 48)

> 'Hij wil steeds helpen. Vindt dat prachtig. Glundert helemaal. Ik moet er wel de tijd voor nemen. Over een stapel luiers in de kast leggen doe ik wel tien keer zo lang. Hij geeft elke luier apart aan en, voordat ik hem krijg, legt hij elke luier even op zijn schouder en voelt er met de zijkant van zijn kin overheen.' (Thijs, week 48)

Speelt je baby met woorden?

Na deze sprong kan je baby bewust zijn eerste woordjes gaan zeggen. Als je merkt dat jouw baby dat ook doet, speel dan daarop in. Luister naar hem en laat merken dat je hem geweldig vindt en dat je hem verstaat. Probeer niet zijn uitspraak te verbeteren. Daardoor gaat het plezier van het praten er voor je baby vanaf.
Gebruik zelf wel steeds het goede woord. Je baby leert dan de juiste uitspraak op den duur vanzelf.

> 'Ze gaat woordjes zeggen en naar datgene wat ze zegt wijzen. Op het ogenblik is ze verliefd op paarden. Als ze ergens een paard ziet, wijst ze en zegt "paad". Gisteren in het park haalde een grote Afghaanse hond haar in. Dat was ook een "paad".' (Odine, week 48)

> 'Tegen 'n poesje van speelgoed zei hij opeens "nanna". Wij hebben dat nooit gezegd. Hij heeft veel speelgoedbeesten. Als ik dan vroeg: "Waar is nanna" wees hij steeds het poesje aan.' (Paul, week 48)

Probeert je baby je iets te vertellen?
Sommige baby's 'vertellen' met lichaamstaal en geluiden dat ze zich een bepaalde situatie herinneren. Of dat ze bepaalde mensen al eens eerder hebben gezien. Als je merkt dat je baby dat kan en doet, speel daar dan op in. Praat veel met hem, zeg wat je ziet en luister naar wat hij je later daarover 'vertelt'.

> 'Wij gaan iedere week zwemmen. Meestal zijn daar dezelfde mensen. Op straat kwamen we toen een moeder en een andere keer een kindje tegen. Meteen riep hij "Oh oh" en wees naar hen alsof hij hen herkende. In het zwembad zag hij toen een meisje, dat bij ons in de buurt woont en die hij maar 'n paar keer heeft gezien, en hij reageerde hetzelfde.' (Paul, week 49)

> 'Op weg naar de winkel zagen we een hoge berg stenen. Ik zei: "Kijk eens wat veel stenen." Hij keek aandachtig. De dag daarna wees hij al op een afstand naar de stenen, keek me aan en riep: "Die, die!" ' (Steven, week 51)

Dwing je baby niet
Als je merkt dat je baby niet geïnteresseerd is, stop er dan mee. Hij is dan met andere dingen bezig. Dingen die hem op dat moment meer boeien.

> 'Ik ben driftig "papa" aan het oefenen en spelletjes aan het spelen van: "Waar is je neus?" en "Hoe groot is mijn schatje?" Maar tot nu toe met weinig resultaat. Hij lacht en springt alleen maar en bijt het liefst mijn neus eraf, of trekt de haren uit mijn hoofd. Maar ik ben allang blij dat hij lichamelijk zo'n bezig baasje geworden is.' (Dirk, week 49)

> 'Ik probeer wel liedjes met hem te doen, maar ik heb het gevoel dat het nog weinig effect heeft. Hij heeft ook niet zoveel interesse, is meer met de dingen om hem heen bezig.' (Jan, week 47)

Toon begrip voor 'rare' angsten
Als je baby bezig is zijn nieuwe vermogen uit te werken, zal hij ook dingen of situaties tegenkomen, die hij maar half begrijpt. Eigenlijk ontdekt hij nieuwe gevaren. Gevaren die voor hem tot nu toe niet bestonden.
Pas als hij alles beter begrijpt, zal zijn angst ook verdwijnen. Leef daarom met hem mee.

> 'Ze wil steeds weer op het potje. Ook al heeft ze niets gedaan, dan loopt ze toch met het potje naar de w.c. om het leeg te gooien en door te trekken. Het gaat haar dus om het doortrekken. Maar terwijl ze dat doortrekken boeiend vindt, is ze er op de een of andere manier ook bang van. Ze is niet bang als ze het zelf doortrekt, wel als een ander het doet. Dan moet ze er niets van hebben.' (Jetteke, week 50)

> 'Ze vindt vliegtuigen vreselijk interessant. Overal herkent ze ze. In de lucht, op plaatjes en in tijdschriften. Deze week was ze ineens bang voor het geluid van heel laag overvliegende vliegtuigen, terwijl ze dat toch vaker gehoord heeft.' (Laura, week 46)

SPELTOPPERS VAN 'OPEENVOLGINGEN'
Dit zijn spelletjes en oefeningen die inspelen op het nieuwe vermogen en die bij bijna alle 46-51 (plus of minus 2) weken oude baby's favoriet zijn.

Helpen
Ook je baby vindt het fijn als hij 'nodig' is. Laat hem merken dat je zijn hulp goed kunt gebruiken. Op deze leeftijd zal hij geen echte hulp zijn, maar hij snapt de handelingen (de opeenvolgingen). Verder is het een goede voorbereiding op de volgende sprong.

Helpen in de huishouding
Laat hem zien hoe je kookt, poetst en opruimt. Haal hem erbij. En vertel wat je doet. Vraag hem je dingen aan te geven. Geef hem een van jouw stofdoeken. Die zijn immers interessanter dan een eigen lapje. En als je een cake bakt, geef hem dan ook een beslagkom met een lepel.

Meehelpen bij het aankleden
Dit is het leukst voor een spiegel. Kleed hem uit, droog hem af en kleed hem eens aan, terwijl hij zichzelf kan zien. Benoem de onderdelen die je afdroogt. Als je merkt dat hij al mee gaat werken, vraag dan zijn hulp. Vraag of hij zijn been of arm wil uitsteken, als je een trui of sok wilt aantrekken. En prijs hem als hij dat ook doet.

Zichzelf 'verzorgen'
Laat je baby ook eens zelf wat doen. Dit is het leukst voor een spiegel. De baby ziet dan zelf wat hij doet. Hij leert dan sneller en geniet meer. Borstel zijn haar eens voor de spiegel en laat hem dat zelf ook proberen. Hetzelfde kun je doen met tanden poetsen. Ook kun je proberen of hij zichzelf wil 'wassen'. Geef hem een washandje als hij in bad zit en zeg bijvoorbeeld: 'Was je gezicht maar.' Reageer enthousiast bij iedere poging. Je zult merken hoe trots hij dan op zichzelf is.

Zelf 'eten' met een lepel
Laat je baby zelf eens met een lepeltje eten. Of geef hem een taartvorkje, waaraan hij zelf stukjes brood of fruit kan prikken. Leg een groot stuk plastic onder zijn stoel, zodat je het gemorste eten makkelijk kunt opruimen.

Aanwijs- en benoemspelletjes
Je baby begrijpt vaak heel wat meer dan je denkt en hij geniet als hij dat kan tonen.

'Dit is je neusje'
Lichaamsdelen aanraken en benoemen helpen je baby bij het ontdekken van zijn eigen lichaam. Je kunt het spelen, terwijl je hem uit- en aankleedt, of als hij lekker bij je zit. Kijk ook eens of hij al weet waar jouw neus zit.

Aanwijzen en benoemen
Alle vormen van aanwijzen en benoemen of de bijpassende geluiden produceren is voor veel baby's een leuk spelletje. Je kunt het overal spelen. Op straat, in de winkel, op het aankleedkussen en met een boekje. Geniet ook van de 'fouten' die je baby maakt.

Zang- en bewegingsspelletjes
Met deze liedjes doet je baby nu actief mee. En hij begint alle bewegingen, die erbij horen, ook zelf te maken.

Klap eens in je handjes
Ga tegenover je baby zitten en zing:
Klap 'ns in je handjes, blij, blij, blij,
(klap in je handen en laat de baby je nadoen)
Op het boze bolletje, allebei,
(doe je handen om je hoofd en laat de baby je nadoen)
Zo varen de scheepjes voorbij!
(Schommel langzaam van links naar rechts en laat de baby je nadoen.)

Schuitje varen, theetje drinken
Ga tegenover je kind op de grond zitten. Spreid je benen en zet je baby daar tussenin. Pak zijn handen en zing heen en weer schommelend:
Schuitje varen, theetje drinken,
Varen we naar de overtoom,
Drinken we zoete melk met room,
Zoete melk met brokken,
(Baby's naam) mag niet jokken!
(Als je zijn naam noemt, wijs hem dan aan of 'prik' in zijn buik.)

Verstopspelletjes
Veel baby's vinden het leuk om een speeltje, dat je volledig laat verdwijnen, weer te voorschijn te toveren.

Een pakje uitpakken
Stop een speeltje in een geliefd papiertje of in een lekker krakende chipszak, terwijl je baby ziet wat je doet. Geef hem dan het pakje en laat hem het speeltje weer te voorschijn toveren. Moedig hem aan bij iedere poging die hij onderneemt.

Onder welk bekertje ligt het?
Leg een speeltje voor je baby neer en zet er een beker overheen. Zet er vervolgens een zelfde beker naast en vraag aan je baby waar het speeltje is. Prijs hem steeds als hij het verstopte speeltje zoekt, ook als hij het niet meteen vindt. Als je baby het nog een beetje te moeilijk vindt, speel dit spelletje dan met een doekje. Hij kan immers dóór het doekje heen de vorm van het speeltje blijven zien. Laat je baby zelf eens iets verstoppen dat jij moet zoeken.

SPEELGOED EN HUISRAAD DAT HET MEEST BOEIT
Dit zijn speeltjes en andere spulletjes die inspelen op het nieuwe vermogen en die bij bijna alle 46-51 (plus of minus 2) weken oude baby's favoriet zijn:
- Houten trein met blokken.
- Auto's.
- Pop (met fles).
- Trommel of potten en pannen om op te trommelen.
- Boekjes met afbeeldingen van beesten.
- Zandbak met emmer en schep.
- Ballen: van pingpongbal tot grote strandbal. Een niet al te harde, middelgrote bal is in trek bij voetballiefhebbers.
- Grote plastic kralen.
- Knijpers.
- Pluche beest, waaruit een muziekje klinkt als je erop drukt.
- (Kinder)liedjes.
- Blokkenstoof met een deksel met gaten, waarin verschillend gevormde blokken passen.
- Fiets, auto of tractor, waar hij zelf op kan zitten.
- Duplo stenen.
- Kleine plastic poppetjes, zoals van Fisher Price of Lego.
- Spiegel.

Let op! Zet weg of beveilig:
- Stopcontacten.
- Trappen.
- Geluidsinstallatie, t.v. en video.
- Stofzuiger.
- Wasmachine.
- Honden.
- Kleine dingetjes, zoals steentjes, naalden of gekleurde stukjes glas.

De sprong is genomen

Tussen 47 en 52 weken breekt weer een makkelijke periode aan. Een tot drie weken lang wordt de baby geprezen om zijn vrolijkheid en zelfstandigheid. Het valt moeders op, dat de baby veel beter luistert als je praat. Rustiger en gecontroleerder speelt. Weer goed alleen speelt. Zelf weer de box in wil, waarbij een enkeling er zelfs niet meer uit wil. En er opvallend ouder en wijzer uitziet.

> 'Ze wordt steeds leuker. Ze vermaakt zich steeds beter. Kan nu echt aandachtig met iets bezig zijn. Overigens heb ik deze week de box weer te voorschijn gehaald. Maar wat me het meest verbaast is dat ze het nu helemaal niet erg vindt om er af en toe een uurtje in te zitten. En een paar weken geleden schreeuwde ze nog moord en brand, zodra ze erboven hing. Het is net of ze haar speelgoed opnieuw ontdekt en of ze het eigenlijk wel lekker rustig vindt in de box.' (Ashley, week 52)

> 'Ze is echt een speelkameraadje voor haar grote zus. Ze reageert dan ook duidelijk zoals verwacht. Huilend, lachend. Ze doen veel meer dingen samen. Ze gaan ook samen in bad. Beiden genieten hier duidelijk van.' (Odine, week 47)

> 'Het waren heerlijke weken. Hij is weer meer een kameraadje. De crèche gaat nu prima. Hij komt er goed geluimd uit en vindt het steeds weer leuk om de andere kinderen terug te zien. Hij slaapt 's nachts beter. Snapt veel meer. Speelt geboeid met zijn speelgoed. Kruipt ook weer alléén een andere kamer in. Lacht veel. Ik geniet met volle teugen.' (Bob, week 51).

foto

Na de sprong

Leeftijd : ....

Wat opvalt : ....

Lief en leed rond 55 weken

Rond 55 (plus of minus 2) weken merk je dat je baby er weer een nieuw vermogen heeft bijgekregen. Je merkt dat hij dingen doet of probeert te doen die nieuw voor hem zijn. Hij laat daarmee zien dat zijn ontwikkeling een sprongetje maakt. Hijzelf heeft die sprong echter eerder gevoeld.
Rond 51 (plus of minus 2) weken wordt je baby meestal wat hangeriger dan hij de laatste een tot drie weken was. Hij merkt dat zijn wereld anders is dan hij gewend is, dat hij hem anders beleeft. Hij merkt dat hij dingen ziet, hoort, ruikt, proeft en voelt die nieuw voor hem zijn. Hij raakt daardoor van slag en klampt zich zo goed als hij kan vast aan de meest vertrouwde plek die hij kent: Mama. Deze hangerige periode duurt bij de meeste kinderen vier of vijf weken, maar hij kan ook drie tot zes weken duren.

OM TE ONTHOUDEN
Als jouw baby 'hangerig' is, let dan alvast op nieuwe vaardigheden of pogingen daartoe.

De sprong kondigt zich aan: terug naar mama

Alle kinderen huilen sneller dan moeder van hen gewend is. Ze willen op, aan en rond mama hangen. Moeders noemen hun baby hangerig, mopperig, chagrijnig, zeurderig, ongedurig en driftig. Sommigen willen mama de hele dag zo dicht mogelijk bij zich hebben. Anderen met periodes. Het ene kind is daarbij ook veel fanatieker dan het andere.

> 'Hij was soms behoorlijk uit zijn hum. Niet de hele tijd. Een tijd speelde hij alleen en dan ineens was het finaal over en was hij een flinke tijd ontzettend huilerig. Hij wilde dan op de arm bij mij zijn. Dit bijvoorbeeld allemaal op één morgen.' (Bob, week 52)

> 'Ze huilde ontzettend snel. Op een "nee" van mij volgde meteen een stevige huilbui. Niets voor haar.' (Eefje, week 52)

Alle baby's huilen minder als ze bij mama zijn of als mama op de een of andere manier met hen bezig is, met hen speelt of naar hen kijkt.

> 'Ik moet op de bank blijven zitten, terwijl ze bezig is, en liefst niks doen. Ik hoop dat ik ooit nog 'ns stiekem wat kan breien als ik daar zit.' (Xara, week 53)

> 'Op de momenten waarop ik bezig ben, wil hij opgetild worden. Maar als hij eenmaal op schoot zit, wil hij er ook snel weer af en moet ik achter hem aan! Hij is zeer ongedurig.' (Dirk, week 52)

Hoe merk je dat je baby 'bij mama wil blijven'?

Hangt hij vaker aan je rokken?
Sommige kinderen klampen zich weer vaker aan moeder vast. Ze willen gedragen worden, of hangen aan haar benen. Anderen hoeven niet per se lichaamscontact met moeder te hebben, maar komen wel steeds even bij haar in de buurt. Ieder kind komt op zijn eigen manier 'mama tanken'.

> 'Ze is weer meer om me heen, even spelen en weer naar me terug.' (Odine, week 54)

> 'Zolang hij wakker is doe ik niets meer. Als hij over de vloer is, loopt hij constant voor mijn voeten en als hij in de box zit moet ik erbij blijven, anders zet hij het op een brullen.' (Dirk, week 55)

> 'Als ik van het zitgedeelte naar de keuken loop, komt ze meteen achter me aan en wil op de arm. Ze maakt een hele scène. Heel theatraal. Alsof er iets vreselijks gebeurt.' (Xara, week 53)

Is hij eenkennig?
Als er vreemden in de buurt zijn, klampen veel baby's zich nog fanatieker aan moeder vast dan ze vaak al doen. Ze willen ineens weer minder van anderen weten. Soms ook even niet van hun vader.

> 'Ze was soms ineens helemaal uit haar doen. Ze wilde dan alleen bij mij zijn. Zette ik haar neer of gaf ik haar aan mijn man, dan raakte ze helemaal in paniek.' (Jetteke, week 56)

> 'Ze pakt niets te eten aan van vreemden, geen plakje worst of koekje.' (Nina, week 54)

Ook kan een baby ineens alleen bij vader willen zijn!

> 'Ze is twee avonden helemaal gek op haar vader geweest. Ze wilde toen niets met mij te maken hebben, hoewel ik haar niets gedaan had. Als hij haar dan niet meteen oppakte, was het huilen geblazen.' (Juliette, week 53)

Wil hij niet dat je lichaamscontact verbreekt?
Sommige baby's houden zich stevig vast als ze op de arm zitten. Ze willen niet worden neergezet. Er zijn ook baby's die het wel goed vinden als ze

neergezet worden, maar die niet willen dat moeder daarna wegloopt. Als er íemand weggaat, wil de baby dat zélf zijn.

'Ik moest op een avond weg. Toen ik hem neerzette en mijn jas aantrok, begon hij te huilen en pakte me vast en trok aan mijn hand, alsof hij niet wou dat ik ging.' (Paul, week 52)

'Ik moet echt opletten als ik haar neerzet en vervolgens even een stukje verder de keuken inloop om iets te pakken. Ze gaat meteen op de hond af, doet alsof ze hem aait en trekt tegelijk snor- of andere haren uit.' (Xara, week 53)

Wil hij vaker beziggehouden worden?
De meeste baby's vragen meer aandacht. Veeleisende baby's willen dat de hele dag. Maar ook makkelijke, rustige baby's doen graag iets samen met moeder.

'Ze komt me steeds halen, trekt me aan de hand mee, om samen te spelen, bijvoorbeeld met haar blokken of met de poppen, of om samen een boekje te lezen.' (Jetteke, week 53)

Is hij jaloers?
Sommige baby's worden wat chagrijniger, ondeugender of driftiger, als moeder aandacht heeft voor iets of iemand anders. Anderen zijn overdreven lief en vrijerig om moeders aandacht te trekken.

'Als ik de baby waar ik op pas iets geef, is hij jaloers.' (Thijs, week 53)

'Mijn vriendin was hier met haar baby. Als ik even met hem praatte, kwam de mijne er met een overdreven grijns tussen.' (Jetteke, week 54)

Heeft hij een sterk wisselend humeur?
Zo'n baby is het ene moment gezellig bezig, om vervolgens verdrietig, boos of driftig te worden. Zonder dat moeder daar aanleiding toe ziet.

'Soms zit hij bijvoorbeeld heel lief zijn blokken te betasten en te bekijken en wordt dan ineens heel boos. Slaakt een paar harde geluiden en slaat met zijn blokken of smijt ze door de kamer.' (Steven, week 52)

Slaapt hij slechter?
De meeste kinderen slapen minder. Ze willen niet naar bed, komen moeilijker in slaap en ze zijn eerder wakker. Sommigen slapen vooral overdag minder, anderen 's nachts. Weer anderen willen zowel overdag als 's nachts niet naar bed.

'Deze week merkte ik voor het eerst dat ze 's nachts vaak even wakker is. Soms huilt ze een beetje. Meestal pak ik haar even op en dan slaapt ze zo weer in.' (Ashley, week 54)

'We zouden graag willen dat ze eens wat makkelijker ging slapen. Dat gaat gepaard met een hoop gehuil en gebrul, soms bij het hysterische af, terwijl ze toch doodmoe is.' (Jetteke, week 52)

Heeft hij 'nachtmerries'?

> 'Hij is 's nachts geregeld wakker en is dan danig overstuur. Echt paniek. Het duurt soms lang om hem weer tot rust te brengen.' (Bob, week 52)

Zit hij wel eens stilletjes te dromen?
Sommige baby's kunnen af en toe even voor zich uit zitten staren. Net of ze in een eigen wereldje zijn. Moeders vinden dit dromen 'akelig'. Ze proberen de baby dan ook altijd te 'storen'.

> 'Soms zit ze wat ingezakt en op en neer schommelend in de verte te staren. Ik laat dan prompt alles vallen, om haar wakker te schudden. Ik ben dan doodsbang dat ze een afwijking heeft. Je ziet dat gedrag ook bij kinderen die geestelijk achter zijn.' (Juliette, week 54)

Eet hij slechter?
Veel baby's lijken minder geïnteresseerd in eten en drinken. Moeders vinden dit bijna altijd zorgelijk en ergerlijk. Baby's die nog borstvoeding krijgen, willen vaak aan de borst liggen. Zomaar zonder echt te drinken, maar gewoon om lekker dicht bij mama te zijn.

> 'Ze heeft de laatste tijd ineens minder aandacht voor het eten. Voorheen was alles binnen een kwartier op. Ze kon nooit genoeg krijgen. Ze zou het rauw allemaal nog gegeten hebben. Nu zit ik soms wel een half uur.' (Ashley, week 53)

> 'Hij "blaast" al zijn middageten eruit. Alles vol! De eerste dagen vond ik het grappig. Nu niet meer.' (Bob, week 53)

Gedraagt hij zich babyachtiger?
Soms steekt een schijnbaar verdwenen babygedrag weer de kop op. Moeders zien dit niet graag. Ze verwachten vooruitgang. Toch is terugvallen tijdens hangerige perioden heel gewoon. Het betekent dat er een vooruitgang op komst is.

> 'Ze heeft weer enkele keren gekropen, maar waarschijnlijk deed ze dat om aandacht te trekken.' (Jetteke, week 55)

> 'Ze stopt weer wat vaker iets in de mond. Net als ze vroeger deed.' (Odine, week 51)

> 'Hij wil weer gevoerd worden. Doe ik dat niet, dan duwt hij het eten weg.' (Rudolf, week 53)

Is hij overdreven lief?
Sommige kinderen komen ineens even 'mama knuffelen' en gaan dan weer.

> 'Hij komt soms echt naar me toekruipen om lief tegen me te doen. Hij legt dan even heel lief zijn bolletje op mijn knieën bijvoorbeeld.' (Bob, week 51)

'Ze komt vaak even "knuffelen". Zegt "aai" en dan krijg je ook echt een aaitje.' (Ashley, week 53)

Pakt hij wat vaker een knuffel?
Veel baby's knuffelen met wat meer enthousiasme. Ze doen het vooral als ze moe zijn of als moeder druk bezig is. Ze knuffelen met knuffels, doekjes, pantoffels en vuile was. Alles wat zacht aanvoelt kan lekker zijn. Ook aaien en kussen ze hun knuffels. Moeders vinden dit vertederend.

'Als ik bezig ben, knuffelt hij wat af. Hij pakt het oor van zijn olifantje in de ene hand en steekt twee vingers van zijn andere hand in zijn mond. 'n Gezellig tafereeltje.' (Jan, week 51)

Is hij opvallend ondeugend?
Veel baby's trekken moeders aandacht door ondeugend te zijn. Ze schijnen dat vooral te doen als moeder druk bezig is en eigenlijk geen tijd voor hen heeft.

'Ik moet steeds maar weer verbieden, want ze doet het erom. Als ik niet reageer, houdt ze vanzelf op. Maar dat kan niet altijd, omdat datgene wat ze hanteert dan wel eens stuk kan gaan.' (Jetteke, week 53)

'Hij is bewerkelijk op het moment. Hij zit overal aan en luistert slecht. Als hij in bed ligt, kan ik pas wat gaan doen.' (Dirk, week 55)

'Ik heb het gevoel dat hij soms bewust niet luistert.' (Steven, week 51)

Heeft hij opvallend veel driftbuien?
Soms raakt een kind volledig over zijn toeren, als hij zijn zin niet krijgt. Ook kan het soms lijken of hij 'spontaan' zo'n driftbui krijgt. Vaak wil hij dan dingen waarvan hij bij voorbaat al aanneemt dat hij die niet zal krijgen.

'Hij wil dat ik hem weer op schoot zijn flesje met fruitsap voer. Als hij maar dénkt dat dat niet snel genoeg gebeurt, gooit hij het flesje weg en gaat dan liggen gillen, schreeuwen en trappelen om het terug te krijgen.' (Thijs, week 52)

'Als ik niet onmiddellijk reageer als ze aandacht wil, wordt ze heel nijdig. Schreeuwt en knijpt om zich heen. Zo draait ze dan velletjes tussen twee vingers. Ze doet dat heel gemeen, snel en hard.' (Xara, week 53)

'Hij wil absoluut niet naar bed. Hij wordt dan zó kwaad, dat hij telkens opnieuw zijn kin stuk springt aan de rand van zijn ledikant. Ik durf hem er daarom bijna niet meer in te leggen.' (Thijs, week 52)

'Ik was met haar op bezoek en zat te praten. Ineens pakte zij het kopje en smeet het met thee en al stuk op de grond.' (Laura, week 55)

BABY VAN SLAG: HOE TOONT HIJ DAT?

- Huilt vaker. Is vaker chagrijnig, mopperig, dreinerig .... ☐
- Is het ene moment vrolijk en het volgende huilerig .... ☐
- Wil vaker beziggehouden worden .... ☐
- Hangt vaker aan je rokken of wil dichter bij je in de buurt blijven .... ☐
- Is 'overdreven' lief .... ☐
- Is 'overdreven' ondeugend .... ☐
- Krijgt (vaker) driftbuien .... ☐
- Is jaloers .... ☐
- Is (vaker) eenkennig .... ☐
- Protesteert wanneer je lichaamscontact verbreekt .... ☐
- Slaapt slechter .... ☐
- Heeft (vaker) 'nachtmerries' .... ☐
- Eet slechter .... ☐
- Zit (vaker) stilletjes te dromen .... ☐
- Zuigt (vaker) op de duim .... ☐
- Pakt (vaker) een knuffel .... ☐
- Gedraagt zich babyachtiger .... ☐
- Wat verder opvalt: ....

  ....

Zorgen[1], irritaties en ruzies

Moeder voelt zich onzeker

In het begin van de hangerige periode is moeder meestal bezorgd. Ze wil begrijpen waarom de baby van slag is. Maar op deze leeftijd gaan zorgen al vrij snel over in ergernis.

Ook vragen sommige moeders zich in deze fase wel eens af waarom hun kind niet zo snel loopt als ze hadden verwacht. Ze zijn bang dat er lichamelijk iets aan de hand is.

> 'Ik oefen het lopen regelmatig en ben verwonderd waarom ze het nog niet alléén doet. Ze loopt al zó lang aan de hand. Ze had het al lang moeten kunnen. Ik vind trouwens dat een voetje van haar naar binnen staat, waardoor ze eroverheen valt. Heb dat ook laten zien op het consultatiebureau. Ik hoorde toen dat meer moeders op deze leeftijd bezorgd zijn over een "naar binnen staand voetje". Toch zal ik blij zijn als ze loopt.' (Xara, week 53)

Moeder ergert zich en doet er ook wat aan

Tegen het einde van de hangerige periode kunnen moeders zich steeds vaker gaan ergeren aan het hangerige gedrag van de baby. Ook doen ze dat aan het 'expres ondeugend zijn' en aan de driftbuien, die de baby gebruikt om zijn zin door te drijven.

> 'Ik erger me zo aan die huilbuien als ik de kamer uitga. Ook kan ik het moeilijk hebben dat zij direct achter me aankruipt en aan mijn been

---

[1] Vraag bij twijfel altijd advies aan je huisarts of het consultatiebureau.

gekluisterd meekruipt. Ik kan zo niets doen. Als ik er genoeg van heb, gaat ze dan ook het bed in.' (Juliette, week 52)

'Hij zit voortdurend aan de grote plant om mijn aandacht te krijgen. Afleiden helpt niet. Nu mopper ik en duw hem weg, of ik geef hem een zachte tik op zijn zitvlak.' (Thijs, week 56)

'Ze wordt om de haverklap enorm driftig, als iets niet mag en als iets niet lukt. Ze smijt het dan weg en gaat vreselijk zitten mopperen. Ik probeer niet te reageren. Maar krijgt ze enkele buien na elkaar, dan gaat ze het bed in. Toen ze hier twee weken geleden mee begon, vond ik het komisch. Nu erger ik me er echt aan. Haar zussen lachen haar uit. Als ze dat ziet, wil de boze bui nogal eens over zijn en lacht ze een beetje verlegen mee. Meestal werkt dat. Niet altijd.' (Ashley, week 53)

Ruzies

Tijdens deze hangerige periode ontstaan ruzies meestal rond driftbuien.

'Ik voel me nijdig worden als ze zo blert als ze haar zin niet krijgt. Deze week werd ze heel driftig, toen ik niet meteen met haar mee wilde naar de keuken. Ze heeft toen een flinke tik op haar billen gekregen, waarna haar drift overging in echt huilen. Ik had er ineens genoeg van.' (Jetteke, week 54)

Tijdens iedere hangerige periode willen moeders die borstvoeding geven, hiermee stoppen. Tijdens deze periode is dat omdat de baby, bij vlagen, steeds weer aan de borst wil. Of omdat het aan de borst willen wordt begeleid door een driftbui.

'Ik ben nu echt gestopt. Hij kreeg al een driftbui als hij aan de borst dacht. Onze hele "verhouding" werd een puinhoop. Hij aan mijn trui trekken, trappelen en schreeuwen en ik boos worden. Misschien verdwijnen die driftbuien nu ook wel wat. Hij heeft de laatste keer gedronken op de avond van zijn eerste verjaardag.' (Thijs, week 53)

Het nieuwe vermogen breekt door

Rond 55 weken ontdek je dat je baby minder hangerig is. En dat hij dingen doet of probeert die weer helemaal nieuw zijn. Je merkt dat hij 'volwassener' met mensen, speelgoed en andere spulletjes omgaat. Dat hij andere dingen leuk vindt. Deze verandering zie je, omdat op deze leeftijd bij iedere baby het vermogen tot het waarnemen en zelf uitvoeren van 'programma's' doorbreekt. Je kunt dit vermogen vergelijken met een volgende winkel die wordt geopend en waar een uitgebreide schakering aan programma-koopwaar ligt. Jouw baby met zijn aanleg, voorkeur en temperament maakt zijn eigen keuze. Hij kan weer uitgebreid winkelen en zich nieuwe dingen eigen maken. En als volwassene kun je hem daarbij helpen.

De sprong: de 'winkel van de programma's'

Als je baby 'programma's' kan waarnemen en zelf kan uitvoeren, weet hij wat dingen betekenen als 'de was doen', 'afwassen', 'tafeldekken', 'eten', 'stoffen', 'opruimen', 'aankleden', 'koffiedrinken', 'toren bouwen', 'telefoneren' en ga zo maar door. Dit zijn allemaal programma's.
Het kenmerk van een programma is, dat het geen voorgeschreven volgorde heeft, maar flexibel is. Niet iedere keer als je 'stoft' moet dat per se op dezelfde manier gebeuren. Je kunt immers eerst een poot stoffen en dan de bovenkant of andersom. Je kunt ook eerst vier poten stoffen. Je kunt eerst de stoel doen en dan de tafel of andersom. Steeds kun je díe opeenvolging kiezen, die je het beste vindt voor díe dag, díe kamer, díe stoel. Wat je ook kiest, het programma waar je mee bezig bent is en blijft 'stoffen'. Een 'programma' is dus een netwerk van mogelijke opeenvolgingen die niet vastliggen en dus heel gevarieerd kunnen zijn.
Als je baby met een programma bezig is, kan hij steeds een andere weg bewandelen binnen dat programma. Hij komt immers steeds knooppunten tegen, waarop hij moet kiezen hoe hij verdergaat. Zo kan hij tijdens 'eten' na iedere hap de keus maken of hij nog een hap neemt of liever een slok. Of misschien wel drie slokken. Hij kan kiezen of hij de volgende hap met zijn vingers zal eten of met een lepel. Wat hij ook kiest, het is en blijft een 'eetprogramma'.
Je baby 'speelt' met de verschillende keuzes, die hij bij ieder knooppunt kan maken. Hij probeert uit. Hij moet nog leren wat de gevolgen zijn van zijn keuzes bij een knooppunt. Hij kan bijvoorbeeld kiezen om de volgende volle lepel boven de grond om te keren, in plaats van in zijn mond. Je baby bedenkt ongetwijfeld een hele schakering van mogelijke en onmogelijke keuzes.
Hij kan nu ook zelf 'plannen' om aan een bepaald programma te beginnen. Hij kan de veger uit de kast halen om te gaan vegen. Hij kan zijn jas gaan halen om naar buiten te gaan, of om te gaan winkelen. Misverstanden ontstaan helaas nogal makkelijk. Hij kan immers nog niets uitleggen. Moeder begrijpt hem algauw verkeerd. De baby raakt dan gefrustreerd en kan een driftbui krijgen. Ook kan moeder nog niet van plan zijn om uit te gaan. Ook dan is de baby snel gefrustreerd. 'Wachten' snapt hij op deze leeftijd nog niet.
Je baby voert niet alleen programma's uit, maar kan nu ook waarnemen welk programma aan de gang is. Hij begrijpt bijvoorbeeld dat je bezig bent om koffie te zetten en dat er dan een koffiepauze volgt. Met of zonder een koekje.
Nu je baby programma's kan waarnemen en zelf kan uitvoeren, heeft hij ook de keus om een bepaald programma te weigeren. Hij wil bijvoorbeeld niet dat moeder doet wat ze doet, is gefrustreerd en krijgt soms zelfs een driftbui. Voor moeder lijkt het alsof die bui uit het niets komt.

WAT HEEFT DE 'WINKEL VAN DE PROGRAMMA'S' IN DE AANBIEDING?

De afdeling 'zelf het programma starten':

- Haalt een bezem of stofdoek en gaat vegen of stoffen .... ☐
- Gaat naar de w.c. en maakt met de borstel de pot schoon ...... ☐
- Komt spulletjes, die hij opgeruimd wil hebben, naar je toe brengen .... ☐
- Pakt de koekjesdoos en verwacht thee- of koffiepauze............ ☐
- Komt met jas, muts en tas om te gaan winkelen....................... ☐
- Pakt jas, muts, schepje en emmer. Klaar om naar de zandbak te gaan .... ☐
- Pakt de honderiem en wil naar buiten........ ☐
- Pakt zijn kleren en wil die aantrekken .... ☐
- Wat verder opvalt: ....
  ....

De afdeling 'meedoen als een programma gaande is':

- Gooit de kussens alvast uit de stoel als je poetst .... ☐
- Hangt de theedoek terug als je klaar bent........ ☐
- Kan spulletjes of etenswaren in de goede kast opbergen .... ☐
- Brengt eigen bord, bestek of onderzetters naar de tafel als je de tafel dekt .... ☐
- Maakt duidelijk dat het 'toetje' moet komen, wanneer hij klaar is met zijn hoofdgerecht. Zegt bijvoorbeeld: 'ijs' .... ☐
- Doet de lepeltjes in de kopjes. Roert meestal alvast .... ☐
- Pakt iets dat je net hebt gekocht, wil dat zelf dragen .... ☐
- Probeert zelf ook iets aan te doen, als hij aangekleed wordt. Bijvoorbeeld zijn pantoffels. Trekt zelf zijn broek omhoog, wanneer je zijn benen al in de pijpen hebt gedaan .... ☐
- Kiest een plaat of c.d. en helpt bij het opzetten. Weet bijvoorbeeld precies met welk knopje de recorder openspringt. Met welk knopje hij start........ ☐
- Wat verder opvalt: ....
  ....

De afdeling 'zelf uitvoeren van een programma onder begeleiding':

- Stopt blokken van verschillende vormen door de goede gaten van de blokkenstoof, als je aanwijst welke vorm wáár in moet........ ☐
- Plast op de pot als je dat vraagt en als hij ook moet plassen. Draagt het vervolgens zelf naar het toilet of helpt daarbij (als hij niet loopt) en trekt het door .... ☐
- Pakt stiften en papier en 'tekent', als je hem vertelt hoe hij dat moet doen .... ☐
- Wat verder opvalt: ....
  ....

De afdeling 'zelfstandig uitvoeren van programma's':

- Voert poppen of knuffels. Imiteert daarbij zijn eigen eetprogramma ☐
- Doet pop in bad. Imiteert daarbij zijn eigen badritueel ☐
- Zet de pop op het potje, bijvoorbeeld nadat hij zelf op de pot heeft geplast ☐
- Eet zonder hulp zijn bord leeg. Vaak wil hij daarbij netjes aan tafel zitten, zoals 'grote mensen' dat doen ☐
- Eet zelfstandig rozijntjes uit een doosje ☐
- Bouwt een toren van minstens drie blokken ☐
- Begint en voert een telefoon'gesprek'. Draait soms zelf eerst aan de telefoonschijf. En zegt soms 'dag' aan het einde van het 'gesprek' ☐
- Kruipt de kamer door. Volgt daarbij 'wegen' die hij zelf kiest. Wijst vaak eerst de richting aan voor hij van richting verandert. Kiest al kruipend en wijzend 'wegen' onder stoelen en tafels door, kruipt door kleine tunneltjes ☐
- Kruipt met een auto of treintje de kamer door en zegt: 'Broem broem.' Volgt daarbij allerlei 'wegen'. Gaat onder stoel en tafel door, of tussen de bank en de muur ☐
- Kan iets vinden dat je zó hebt verstopt, dat hij het helemaal niet meer kan zien ☐
- Wat verder opvalt: ....
  ....

De afdeling 'toekijken bij programma's die anderen uitvoeren':

- Kijkt naar een peuterprogramma op t.v. Houdt dat zo'n drie minuten vol ☐
- Luistert naar een kort verhaaltje op de radio of op een bandje. Het verhaaltje moet eenvoudig zijn en aangepast aan baby's levensstijl. Het mag niet langer duren dan drie minuten ☐
- Hij laat merken dat hij een plaatje in een boek begrijpt. Zegt bijvoorbeeld: 'Hap', als het kind of dier op het plaatje eet of eten krijgt aangeboden ☐
- Bekijkt en beluistert hoe je zijn knuffels of poppen een hapje eten geeft, in bad doet, aankleedt, laat praten en terug praten ☐
- Bestudeert hoe oudere kinderen met hun speelgoed 'een programma' spelen. Bijvoorbeeld hoe ze met een theeserviesje, garage met auto's of pop met bedje spelen ☐
- Bestudeert vader, moeder of anderen wanneer ze met een 'programma' bezig zijn. Bijvoorbeeld wanneer dezen zich aankleden, eten, koken, knutselen, timmeren, telefoneren en ga zo maar door ☐
- Wat verder opvalt: ....
  ....

Bedenk steeds dat je baby nooit in één klap alle 'goederen' in deze winkel kan opkopen. Met 55 weken krijgt hij voor het eerst toegang tot de winkel. Maar wannéér hij zich wát eigen maakt, hangt af van de interesse van de baby en de gelegenheid die hij krijgt.

Wat kiest jouw baby uit de 'winkel van de programma's'?
Alle baby's hebben het vermogen tot het waarnemen en zelf uitvoeren van 'programma's' gekregen. De nieuwe winkel vol met nieuwe mogelijkheden staat voor allemaal open. Jouw baby maakt zijn eigen keus. Hij pakt dat wat het beste past bij zijn aanleg, interesse, lichaamsbouw, gewicht en intelligentie. Vergelijk je baby daarom niet met een andere baby. Iedere baby is uniek.
Kijk goed naar je baby. Stel vast waar zijn interesse naar uitgaat. In het kader: 'Wat heeft de "winkel van de programma's" in de aanbieding?' is ruimte om aan te geven wat je baby kiest. Zelf kun je er ook 'winkelen', om te zien of er dingen bij zijn waarvan je denkt dat je baby ze ook leuk zal vinden.

ZO ZIJN BABY'S
Alles wat nieuw is, vindt je baby het leukst. Reageer daarom altijd en vooral op nieuwe vaardigheden en interesses die je baby toont. Hij leert dan prettiger, makkelijker, sneller en meer.

De uitwerking van de sprong: Help je baby bij het leren

Geef je baby de gelegenheid om met 'programma's' te spelen. Laat hem kijken, als jij met een 'programma' bezig bent. Laat hem je helpen en laat hem zelf bezig zijn met 'programma's'. Alleen op die manier krijgt hij een goed begrip van 'programma's'.

Spelen met aankleden en verzorgen
Als je baby het leuk vindt om bezig te zijn met uitkleden, aankleden en verzorgen, laat hem dan zien hoe jij dat doet. Leg hem ook uit wat je doet en waarom je dat doet. Hij begrijpt meer dan hij kan zeggen. Geef hem ook eens de gelegenheid zichzelf of iemand anders te wassen, af te drogen en aan te kleden. Ook al doet hij dat nog niet perfect, hij weet al wel wat de bedoeling is. En help hem, als je merkt dat hij dat fijn vindt.

> 'Ze probeert zelf haar broek omhoog te trekken of zelf haar pantoffels aan te doen, maar dat lukt nog niet. Toen liep ze ineens op mijn pantoffels!' (Jetteke, week 55)

> 'Zij vindt het leuk om met een mutsje of hoedje op te lopen. Of die nu van mij, van haar of van 'n pop zijn. Alles is goed.' (Eefje, week 57)

> 'Hij doet de laatste week van alles op zijn hoofd. Dan weer een theedoek of een handdoek. Af en toe een onderbroek van deze of gene. Hij loopt dan stoïcijns door het huis en zijn broer en zus lachen zich naar.' (Dirk, week 59)

> 'Als ze aangekleed is, kruipt ze naar mijn toilettafel en probeert zich met parfum te besproeien.' (Laura, week 57)

'Gisteren stond hij breed lachend in zijn bed toen ik hem wilde halen. Hij had zichzelf al bijna helemaal uitgekleed.' (Jan, week 58)

'Ze voert haar poppen, doet ze in bad en in bed en als ze op het potje is geweest, doet ze de poppen ook op de pot.' (Jetteke, week 56)

Spelen met zelf eten
Als je baby zelf wil eten, laat hem dat dan eens proberen. Bedenk wel dat hij, creatief als hij is, allerlei manieren van 'eten' kan gaan uitproberen, die nogal wat rommel kunnen geven. Leg daarom een groot stuk plastic onder zijn stoel op de grond, zodat je alles makkelijk weer kunt opruimen. Je zult je dan minder ergeren.

'Sinds hij geleerd heeft hoe hij zelf zijn pap of warm eten kan eten met een lepel, wil hij dat ook helemaal alléén doen. Anders eet hij niets. Ook wil hij per se op zijn stoel aan tafel zitten, als hij iets eet.' (Rudolf, week 57)

'Ze vond het ineens heel leuk om eerst met 'n lepeltje te roeren en het daarna in haar mond te stoppen.' (Jetteke, week 56)

'Hij vindt het geweldig om zelf rozijntjes uit een doosje te eten.' (Thijs, week 57)

'Ze zegt "ijs", als ze klaar is met haar hoofdgerecht. Ze weet dus dat er iets volgt. Is het toetje op, dan moet ze uit de stoel.' (Xara, week 60)

Spelen met 'speelgoed'
Veel baby's krijgen nu interesse in speeltjes, warmee ze een 'programma' kunnen naspelen. Zoals een garage met auto's, een trein met toebehoren, een boerderij met dieren, poppen met verzorgingsartikelen, serviesjes met potten en pannen, of een winkel met pakjes en doosjes. Geef hem de gelegenheid om daarmee bezig te zijn. En help af en toe een handje. Het is nog heel moeilijk voor hem.

'Als ik naast hem op de grond zit en hem aanmoedig, bouwt hij soms torens van acht blokken.' (Thijs, week 57)

'Als ze alleen aan het spelen is en iets lukt niet, roept ze me: "Mama." En maakt vervolgens duidelijk wat ze wil dat ik doe.' (Odine, week 55)

'Ze krijgt steeds meer interesse in duplo, vooral de poppetjes en de auto's. Ook begint ze met duplo te bouwen. De stenen blijven ook al vast zitten. Ze kan met dit alles behoorlijk lang bezig zijn.' (Xara, week 57)

'Hij amuseert zich veel beter. Ziet overal veel meer mogelijkheden in en van. Zijn knuffels, treinen en auto's krijgen veel meer leven.' (Bob, week 55)

Laat hem ook eens de 'echte dingen' bekijken. Is je baby geïnteresseerd in garages, neem hem dan mee naar een garage. Wordt hij meer geboeid door paarden, laat hem dan een manege zien. En als zijn tractor of hijskraan favoriet is, zal hij zeker willen bekijken hoe die 'echte' werken.

Spelen met 'echte dingen'

Tassen, portemonnees met geld, t.v., radio, poetsspullen, make-up, alles willen veel baby's gebruiken zoals mama die gebruikt. Sommige baby's laten het eigen speelgoed dan ook in een hoek liggen. Begrijp waar je baby mee bezig is, ook al maakt hij je dat niet altijd makkelijk.

'Ik zag hem vandaag voor het eerst aan de telefoonschijf draaien, de hoorn bij zijn oor doen en daarbij druk babbelen. Soms zei hij "dada". Oók voordat hij neerlegde.' (Dirk, week 56)

'Ze heeft de telefoon opgenomen toen ik even buiten was en "praatte" tegen oma!' (Xara, week 60)

'Ze weet precies met welk knopje de cassetterecorder openspringt. En als ze met een plaat met kinderliedjes aankomt, zou ze die het liefst zelf opzetten.' (Jetteke, week 57)

'Hij schrok toen hij de radio heel hard aanzette.' (Dirk, week 56)

'Hij is dol op de w.c. Gooit er van alles in. Maakt hem om de haverklap schoon met de borstel en zorgt er tevens voor dat de badkamervloer kletsnat wordt.' (Dirk, week 56)

'Hij komt me regelmatig kranten, lege pilsflesjes en schoenen brengen. Hij wil die opgeruimd hebben.' (Dirk, week 56)

Spelen met 'verhaaltjes'
Als je merkt dat je baby geboeid wordt door verhaaltjes, kun je hem deze laten horen en zien. Je kunt hem naar een vertelling op t.v. laten kijken, je kunt een bandje laten horen, of je kunt zelf een verhaaltje vertellen, met of zonder een prentenboek. Zorg wel dat de verhaaltjes aansluiten bij datgene wat je baby zelf meemaakt of waar zijn interesse naar uitgaat. Bij het ene kind zullen dat auto's zijn en bij het andere bloemen, water of knuffels. Bedenk ook dat de meeste baby's zich niet langer dan drie minuten kunnen concentreren op één verhaaltje. Elk verhaaltje moet dus kort en eenvoudig zijn.

> 'Hij kijkt echt naar t.v., naar het programma. Bij een peuterprogramma kan hij echt even "weg" zijn. Heel grappig. Voorheen interesseerde hem dit niet.' (Rudolf, week 58)

Geef je baby ook eens de gelegenheid om zelf een verhaaltje te vertellen als je samen een prentenboek bekijkt.

> 'Ze begrijpt een plaatje in een boek. Ze zegt wat ze ziet. Bijvoorbeeld, ze ziet dat een kindje op een plaatje een spekje geeft aan een ander kind en ze zegt: "Hap." ' (Odine, week 57)

Spelen met 'conversaties'
Veel baby's zijn gretige babbelaars. Ze vertellen hele 'verhalen', compleet met 'vragen', 'uitroepen' en pauzes. Ze verwachten dan ook antwoord. Probeer zijn verhalen serieus te nemen, ook al versta je nog niet wat hij zegt. En als je goed luistert, ontdek je soms een woordje dat je kunt verstaan.

> 'Hij kletst je de oren van je hoofd. Hij converseert echt. Hij doet dat soms in vraagvorm. Heel schattig om te horen. Ik zou wel eens willen weten wat hij allemaal te zeggen heeft.' (Dirk, week 58)

'Hij babbelt enorm veel. Hij converseert echt. Hij houdt zijn mond soms en kijkt me aan tot ik wat terug zeg en vervolgt zijn verhaal weer. Van de week leek het of hij "kusje" zei en toen gaf hij me inderdaad een kusje. Ik luister nu met tien keer zoveel interesse. Heel leuk.' (Dirk, week 59)

Spelen met 'muziek'

Veel baby's luisteren graag naar een eenvoudig kinderliedje, dat niet langer dan drie minuten duurt. Hij kan nu ook leren om daar alle bijbehorende gebaren bij te maken.

'Zij doet zelf "Klap eens in de handjes", compleet met onverstaanbare zang.' (Jetteke, week 57)

Ook vinden sommige baby's het heel leuk om zelf muziek te maken. Vooral trommels, piano's, orgels en fluiten zijn dan erg in trek. Natuurlijk zullen de meeste baby's de voorkeur hebben voor een instrument dat van 'de groten' is. Maar hij kan natuurlijk minder brokken maken met een speelgoedinstrument.

'Zij is gek op haar pianootje. Speelt meestal met één vinger en luistert naar wat ze doet. Ze kijkt ook graag toe als haar vader op zijn piano speelt, loopt naar haar piano en rammelt er dan met twee handen op.' (Odine, week 58)

Wees blij met baby's hulp

Als je merkt dat de baby je wil helpen, laat hem dat dan doen. Hij begrijpt waar je mee bezig bent en kan zijn steentje bijdragen.

'Ze wil altijd helpen. Ze wil de boodschappen dragen. Ze hangt de theedoek terug als ik klaar ben. Ze brengt de onderzetters en haar eigen bestek naar de tafel, als ik de tafel dek, en ga zo maar door.' (Xara, week 62)

'Ze weet dat appelsap en melk in de koelkast moeten staan en opent alvast de deur. Voor koekjes gaat ze onmiddellijk naar de kast en pakt de trommel.' (Jetteke, week 57)

Leer je baby rekening met jou te houden

Veel baby's kunnen nu begrijpen dat ook *jij* met een 'programma' bezig kunt zijn. Bijvoorbeeld dat je bezig bent met afwassen. Of met opruimen. Als je merkt dat je baby zoiets begrijpt, kun je ook van hem vragen rekening met jou te houden, zodat jij jouw 'programma' even af kunt maken. Natuurlijk mag dat nog niet te lang duren.

NOG EVEN DIT
Ook afleren van oude gewoontes en aanleren van nieuwe regels horen bij de uitwerking van ieder nieuw vermogen. Dát wat je baby nu nieuw begrijpt, kun je ook van hem eisen. Niet méér, maar ook niet minder.

Laat je baby nieuwe oplossingen zoeken
Laat hem spelen met de verschillende gedragingen binnen hetzelfde 'programma'. Soms weet een baby wel hoe het eigenlijk hoort, maar vindt het toch leuk om het ook eens anders te proberen. Hij probeert uit. Binnen hetzelfde 'programma' kiest hij dan een andere weg naar hetzelfde einddoel. Hij leert hierdoor dat je iets niet altijd op dezelfde manier hoeft te doen. Hij verandert zijn tactiek na 'nee' gezegd te hebben. Doet dan bijvoorbeeld hetzelfde, maar met een voorwerp. Hij is niet meer voor één gat te vangen. Maar wordt vindingrijk.

> 'Als hij bezig is met iets, bijvoorbeeld bouwen, kan hij ineens "nee" schudden en zeggen en het vervolgens anders gaan doen.' (Rudolf, week 55)

> 'Ze pakt haar locomotiefje om daarop te gaan staan als ze haar spullen uit de kast wil pakken. Eerst pakte ze altijd haar stoel.' (Jetteke, week 56)

> 'Als ik vraag: "Moet jij op de pot?", dan gaat ze als ze ook echt moet. Plast, draagt het zelf naar de w.c. en trekt door. Soms echter zit ze, staat op en plast naast de pot.' (Jetteke, week 54)

> 'Hij gaat buiten armbereik op de grond liggen als hij zijn zin door wil drijven. Ik moet dan wel naar hem toekomen.' (Thijs, week 56)

Laat je baby 'onderzoekertje' spelen
Sommige baby's kunnen eindeloos bezig zijn dingen te onderzoeken. Zo kan hij bijvoorbeeld 25 keer verschillende poppetjes oppakken en op de tafel laten vallen, om dit daarna wel 60 keer te herhalen met allerlei bouwblokjes. Als je baby zo bezig is, laat hem dan rustig zijn gang gaan. Hij experimenteert namelijk op die manier héél systematisch met de eigenschappen van dingen. Hij kijkt hoe ze neerkomen, omrollen en stuiteren. En die informatie kan hij later weer goed gebruiken, als hij midden in een 'programma' moet kiezen of hij iets zús zal doen of zó. Wie denkt dat je kleintje alléén maar speelt heeft het mis. Hij werkt eigenlijk heel hard en maakt 'lange dagen'.

GOED OM TE WETEN
Sommige kinderen zijn supercreatief in het bedenken en uitproberen van meerdere wegen naar hetzelfde einddoel. Bijvoorbeeld hoogbegaafde kinderen. Dit is vanzelfsprekend heel vermoeiend voor hun ouders:
- Zij proberen steeds of het ook anders kan.
- Zij zoeken altijd naar een oplossing, als iets niet lukt of mag.
- Het lijkt voor hen een uitdaging om nooit twee keer iets op dezelfde manier te doen. Dingen herhalen vinden ze saai.

Toon begrip voor 'rare' angsten

Als je baby bezig is zijn nieuwe vermogen uit te werken, zal hij ook dingen of situaties tegenkomen die nieuw zijn en die hij maar half begrijpt. Eigenlijk ontdekt hij nieuwe gevaren. Gevaren die voor hem tot nu toe niet bestonden. Hij kan er nog niet over praten. Pas als hij alles beter begrijpt, zal ook zijn angst verdwijnen. Leef met hem mee.

'Hij was bang voor de scheepslamp als die brandde, waarschijnlijk omdat hij zo scherp is.' (Paul, week 57)

'Ze is wat bang in het donker. Niet om in te slapen, maar om van een lichte naar een donkere kamer te lopen!' (Jetteke, week 58)

'Hij is bang als ik een ballon opblaas. Snapt het niet.' (Thijs, week 58)

'Ze schrok van een opblaasbal die leegliep.' (Eefje, week 59)

'Hij schrikt enorm van harde geluiden, bijvoorbeeld van straaljagers. Maar ook van het rinkelen van de telefoon en de deurbel.' (Bob, week 55)

'Ze schrikt van alles dat haar wat snel nadert. Van de fladderende parkiet rond haar hoofd, van haar broer die haar wil "pakken", en van een auto op afstandsbediening van een vriendje van haar grote broer. Het ging haar te snel.' (Xara, week 56)

'Hij wil absoluut niet in het grote bad. Wel in het kleine badje in het grote bad.' (Dirk, week 59)

SPELTOPPERS VAN PROGRAMMA'S
Dit zijn spelletjes en oefeningen die inspelen op het nieuwe vermogen en die bij bijna alle 55-60 (plus of minus 1-2) weken oude baby's favoriet zijn.

Zelfstandig een karweitje opknappen
Veel baby's vinden het heerlijk om helemaal alleen iets héél volwassens te mogen doen. Kliederen met water is het meest in trek. Bovendien worden de meeste kinderen rustig van spelen met water, vooral de drukke kinderen. Probeer het eens.

Pop wassen in bad
Vul een babybadje of teiltje met lauw water. Geef je baby een washand en een stuk zeep en laat hem zijn pop of knuffel eens lekker inzepen. Ook het haren wassen is meestal erg in trek. Geef hem pas de handdoek als hij klaar is met de wasbeurt. Anders belandt deze ook in het water.

Loopfiets of tractor een goede beurt geven
Zet de loopfiets op een plaats waar je kind flink te keer kan gaan met water. Bijvoorbeeld buiten. Vul een emmer met lauw water en schuim en geef je baby een borstel. Ook kun je hem de tuinslang geven, waaruit een klein straaltje water komt. Hiermee kan hij dan het schuim afspoelen.

Afwas doen
Zet je kind eens met een grote schort voor op een stoel aan het aanrecht. Vul de bak vol lauw water en geef hem je afwasborstel en een variëteit aan babyvriendelijke afwas, zoals plastic borden, kopjes, eierdopjes, houten lepels en allerlei zeefjes en trechters. Een lekkere berg schuim zal zijn werklust nog groter maken. Let wel op dat de stoel waarop hij staat, niet glibberig wordt als deze nat wordt, waardoor je baby in zijn enthousiasme uitglijdt.

Helpen bij belangrijke karweitjes
De meeste bezigheden kan je baby nog niet alleen, maar hij kan wel helpen. En doet niets liever! Hij kan helpen bij het eten klaarmaken, het tafeldekken en het boodschappen doen. Natuurlijk schiet je er niet bepaald harder door op. Zelfs kan hij je ineens van de wal in de sloot helpen als hij 'iets nieuws' uitprobeert. Maar hij leert er veel van. En als hij meedoet met iets belangrijks, zal hij zich 'groot' en tevreden voelen.

Oók boodschappen uitpakken en opruimen
Breng eerst kwetsbare en gevaarlijke spullen in veiligheid en laat je baby dan meehelpen met uitpakken. Je kunt hem de boodschappen één voor één, naar eigen keuze, laten aangeven of brengen. Of je kunt hem vragen: 'Geef de ... maar, en nu de ...' Je kunt hem ook vragen waar hij het op zou bergen. En tot slot kan hij de kastdeuren sluiten als jullie klaar zijn. Laat altijd merken dat je blij bent met zijn hulp, als hij zijn best heeft gedaan. Veel baby's vinden het leuk om na gedane arbeid samen iets lekkers te eten en te drinken.

Verstopspelletjes
Dit soort spelletjes kun je nu 'ingewikkelder' maken dan je voorheen kon. Als je baby in de stemming is, vertoont hij meestal met plezier zijn kunsten. Pas je aan je baby aan. Maak het spelletje niet té moeilijk of té makkelijk voor hem.

Dubbel verstoppen
Zet twee bekers voor je baby neer en stop onder één van de bekers een speeltje. Verwissel hierna de bekers al schuivende over de tafel

van plaats. Dus waar beker A stond staat nu beker B, en andersom. Zorg dat de baby toekijkt, als je de bekers verschuift. En prijs hem voor elke poging. Dit is echt heel moeilijk voor hem.

Waar komt dat geluid vandaan?
Veel baby's vinden een geluidje zoeken heel leuk. Neem je baby op schoot en laat hem iets zien en horen dat speelt. Bijvoorbeeld een muziekdoosje. Neem vervolgens je baby op schoot en laat iemand anders dat spelende ding verstoppen. Zorg dat je baby niet kan zien waar het verstopt wordt. Als het uit het zicht verdwenen is, moedig hem dan aan het te zoeken.

SPEELGOED EN HUISRAAD DAT HET MEEST BOEIT
Dit zijn speeltjes en spulletjes die inspelen op het nieuwe vermogen en die bij bijna alle 55-60 (plus of minus 1-2) weken oude baby's favoriet zijn:
- Pop (die ook in het water kan), poppewagen en poppebedje.
- Boerderij, boerderijdieren en hekken.
- Garage en auto's.
- Trein, rails, tunnel.
- Onbreekbaar theeserviesje.
- Potten, pannen en houten lepels.
- Telefoon.
- Duplostenen.
- Fiets, auto, tractor, paard of locomotief waar hij zelf op kan zitten.
- Duwkar waarin hij van alles kan vervoeren.
- Hobbelpaard, schommelstoel.
- Blokkenstoof met een deksel met gaten, waarin verschillend gevormde blokken passen.
- Stapelbakjes.
- Ringenpiramide.
- Zwabber, borstel, handveger en blik.
- Allerlei soorten en kleuren sponzen om te 'poetsen' of om in bad mee te spelen.
- Grote vellen papier en dikke stiften.
- Boekjes met dieren en hun jongen, met kinderen die bekende dingen doen, met auto's, vrachtwagens en tractoren.
- Muziekinstrumenten, zoals een trommel, piano en orgel.
- Cassettebandje met eenvoudige, korte verhaaltjes.
- Eenvoudige, korte televisieprogramma's voor de allerkleinsten, zoals 'Tik-tak' en 'Sesamstraat'.

Let op! Zet weg of beveilig:
- Alle kasten en laatjes, zolang ze van iemand anders zijn.
- De knopjes aan kijk- en geluidsapparatuur, aan elektrische apparaten en aan het gasfornuis.
- Licht en stopcontacten.

De sprong is genomen

Rond 59 weken zijn de meeste baby's weer wat makkelijker dan zij waren. Sommigen worden vooral geprezen om hun gezellige babbelkunst. Anderen om hun bereidheid 'het huishouden over te nemen'. Ook maken de meeste baby's wat minder gebruik van driftbuien als ze hun zin willen doordrijven. Kortom, hun zelfstandigheid en vrolijkheid komt weer iets boven drijven. Toch blijven veel moeders hun kind wat bewerkelijk vinden.

> 'Ze is puntje precies. Alles heeft een eigen plekje. Als ik iets veranderd heb, merkt ze het en zet het weer terug. Ook houdt ze zich nergens meer aan vast als ze loopt. En ze loopt rustig de hele kamer door te wandelen. Heb me dus zorgen voor niets gemaakt.' (Xara, week 60)

> 'Nu hij als een kievit door het hele huis loopt, doet hij ook vaak dingen die niet kunnen. Hij loopt voortdurend kopjes, bierflesjes en schoenen op te ruimen en kan daarin zeer creatief zijn. Als ik even niet oplet, belanden die dingen in de vuilnisbak of w.c.-pot. Als hij dan een standje krijgt, is hij heel verdrietig.' (Dirk, week 59)

> 'Ze speelt niet meer met speelgoed, kijkt het niet meer aan. Het bekijken, nadoen en meedoen met ons is nu veel boeiender. Ze neemt ook initiatieven. Pakt haar jas en tas als ze naar buiten wil. Pakt de bezem als er gepoetst moet worden. Heel groot.' (Nina, week 58)

> 'Hij amuseert zich weer opperbest in de box. Wil er soms niet meer uit. Ik hoef ook niet meer met hem mee te spelen. Hij vermaakt zichzelf, vooral met zijn auto's, blokkenstoof en puzzel. Is veel vrolijker.' (Paul, week 60)

> 'Het is een heerlijk meidje. Ze kan zo heerlijk 'keuvelend' zitten spelen. En ze is vaak zo ontzettend blij, bijvoorbeeld als je binnenkomt. Ook die ergerlijke driftbuien lijken verleden tijd. Maar misschien kan ik dat beter afkloppen.' (Ashley, week 59)

foto

Na de sprong

Leeftijd : ....

Wat opvalt : ....

Nawoord

Alle moeders zitten regelmatig met een baby die 'mama tankt', die huilerig, chagrijnig, hangerig, kortom lastig is. Moeders die met zo'n kleintje zitten, zijn dus géén uitzondering. Ze staan niet alléén met hun probleem. Al hun 'collega's' zaten en zitten op dezelfde tijden óók in de zorgen en de ergernis. En iedereen vergat en vergeet dit snel en graag, als zo'n periode over is. Iedereen bagatelliseert de ellende die zij meemaakte, nadat de zon weer is doorgebroken.
Als moeders beseffen dat lastig zijn, zorgen en ergernis bij tijd en wijle een normaal, gezond onderdeel zijn van zelfstandig worden, maakt ze dat sterker, zekerder.
Ze weet wat ze doet. Ze weet dat bij een baby géén gebruiksaanwijzing voor zijn opvoeding wordt geleverd. Iedere baby 'winkelt' na iedere sprong en maakt zijn eigen keus, en het enige wat je kunt doen is hem daarbij helpen. Ze weet ook dat alleen diegene die hem het beste kent, hem ook het beste kan helpen. Zijzelf dus. Zij is de expert bij uitstek. Wat zij daarbij goed kan gebruiken is informatie over wat zich bij iedere sprong in het hoofd van haar baby afspeelt. Die hebben wij hier gegeven. Daarmee is het makkelijker begrip op te brengen voor de baby en hem te steunen. We zijn ervan overtuigd dat dit erg veel uitmaakt voor de latere ontwikkeling van een baby. Die heeft moeder dus gedeeltelijk zelf in de hand. Degene die voor een baby zorgt, weet het beste wat die baby nodig heeft. En niet de familie, buren en vrienden. Hun kind kan immers totaal anders (geweest) zijn. Wij hebben dit in dit boek duidelijk gemaakt, en hopen dat moeders zelfbewust en weerbaar durven zijn en immuun voor tegenstrijdige en ongevraagde adviezen.
We hebben laten zien dat in zijn eerste levensjaar iedere baby acht keer opnieuw 'geboren' werd. Acht keer stond zijn bekende wereld op zijn kop. Acht keer was hij van slag en deed hij alles dat in zijn vermogen lag om aan 'mama te hangen'. Acht keer keerde hij terug naar zijn veilige basis. En acht keer laadde hij zich daar als het ware op ('hij tankte mama') vóór hij de volgende sprong in zijn ontwikkeling ging maken. Natuurlijk is hij daarmee nu niet klaar. Tot anderhalf jaar maakt hij in ieder geval nog twee sprongen: rond 64 en 75 weken. Vóór hij op eigen benen staat, zal zich dat nog een aantal keren herhalen. Er zijn zelfs aanwijzingen dat volwassenen hier ook nog mee te maken krijgen.
Mensen worden niet ééns en voor altijd geboren op de dag dat hun moeder ze op de wereld zet, maar (...) het leven dwingt ze om zelf keer op keer een nieuwe wereld te betreden. (Vrij vertaald uit: *Love in the time of cholera* van Gabriel García Márquez, 1988, Penguin, blz. 165.)

Nuttige adressen

Vereniging Borstvoeding Natuurlijk
Postbus 119
3960 BC Wijk van Duurstede
Tel. 03435-76626

Vereniging van Ouders van Couveusekinderen
Postbus 53178
1007 RD Amsterdam
Tel. 020-6793742

IDC-informatiecentrum en documentatiecentrum ten behoeve van het kind met een handicap en zijn ouders
Zakkendragershof 34-40
3511 AE Utrecht

Spreekuur postnatale depressie, Dr. C.W.D.A. Klapwijk
(alleen met verwijzing), gynaecoloog
Pieter Pauw Ziekenhuis
Scheidingslaan 1
6704 PA Wageningen
Tel. 08370-73365

Stichting Vrouwen in Postnatale Depressie
Postbus 303
Aalsmeer
Tel. 02977-23039

Landelijke vereniging van Ouders van hoogbegaafde kinderen
PHAROS
Postbus 22
4153 ZG Beesd
Tel. 033-943146 (ma en wo 9.00-11.30 uur)

Stichting Steungroep Hulp met Huilkindjes
Tel. 01656-5636 / 01660-3892

Register